Danielis Defoe

Rebilii Crusonis Annalium

A F. W. Newman contractorum, Latine redditorum,
ad pueros docendos accommodatorum

Anno MDCCCLXXXIV – Londini apud Trubner

II

CAPUT PRIMUM

1. Natus sum Eboraci, ex bona familia, sed peregrina: quippe pater meus fuit e Brema, ubi appellabatur Kreutznaer. Ceterum per mercaturam dives factus, Eboraci consedit, unde recepit in connubium matrem meam. Ex huius agnatis praenomen mihi Rebilius, ex patre nomen Kreutznaer inditum est. Sed vulgus hominum, facili corruptela, Crusonem me Rebilium appellabat. Tertius eram filius familiae. Frater maximus, tribunus militum, cum Hispanis proelio congressus, ad Dunkerkam occubuit. Frater proximus, sicut ego quoque postea, incertum quomodo, evanuit. Me quidem pater, diligenter institutum, iuris legumque studiis destinabat: sed, fatali quodam motu, nihil mihi arridebat, nisi ut mari oberrarem.

2. Prima in iuventa clam patrem evasi nauta. Cursu mox felici cum magistro navis humanissimo ad Guineam Africae navigavi. Altero in cursu a Mauris piratis captus sum, et per quattuor fere annos duram servivi servitutem. Inde miraculo audaciae elapsus, in Lusitana quadam nave ad Brasiliam sum devectus, ubi colono cuidam tres amplius annos strenuam operam navavi, praefectus servorum agrestium. Mox per hunc amicosque huius adductus sum, ut ad Guineam navigarem, homines nigritas conquisiturus, quos ipsi inter se per sua praedia servitutis causa dividerent. Equidem magnam lucri partem eram derivaturus.

3. Sed longe aliter ordinavit Deus, ne impune caecae cupiditati obsequerer. Nempe ventis abrepta navis Oceanum transire nequibat, sed longe ad Caurum devehitur, circa Orinoconis ostia, ut credebamus. Altera mox superveniens procella magno impetu nos in

Occidentem propulit, ubi, si e mari effugeremus, per feros homines foret pereundum.

4. Gravi impendente periculo, nocte intempesta et saeviente adhuc vento, nauta qui erat in vigilia "terram adesse" exclamavit; atque, antea quam ceteri experrecti superne congregamur, navis in harenis haeret. Statim cum strepitu tremendo corruunt mali eorumque armamenta. Fluctus magna vi foros proluebant, neque ipsae navis compages diu toleraturae videbantur.

5. Magister scapham demitti iubet. Demittitur: nec facile id quidem. Res, quae maxime ad vitam sunt necessariae, raptim ingeruntur; tum nos ipsi, tredecim viri, in eandem descendimus. Montuosum litus inter sublustrem caliginem furvum apparebat: eo remigamus, si qua forte in sinu terrae reducto tranquilliore mari utamur. Iam, violenter undante salo et circum nos se frangente, res non nauticae peritiae sed divinae opis videbatur: quare inter remigandum se quisque Deo Supremo, pius impiusve, commendabat, salute paene desperata.

6. Ventus, ad terram propellens, cursum scaphae accelerabat, terram faciebat formidolosiorem; metu autem maris, spe litoris, ipsi nosmet quasi in certissimum exitium detrudebamus. Tandem, vadosiore mari, fluctus perniciosius circum frangi et deiectari scapha. Mox, ecce crista undae ingens, quae nos persequitur; et vix DEI effamur nomen, quum cuncti sumus absorpti.

7. Quae sequebantur, longa fortasse enarratu, factu erant brevissima. Profundius sensi me verbere fluctus illius deprimi, sed, anima fortiter compressa, ad summas aquas emersi tandem. Altero in fluctu spumante implicatus atque violenter circumtortus, immensum anhelans eluctor; tum conversus, humeros meos succedenti

oppono cristae. Ea me magna vi cautem versus proiecit, aqua exstantem: hanc ego amplexus, adhaereo, dum decurrit unda; tunc, priusquam novus superveniat fluctus, per vada exsiliens scando, iterumque amplector cautem; simul, aestu paulisper obruor. Ictus eius me aspere quassabat, sed extemplo aera animamque recepi, et rursus per vada supergredior. Citra saxa undas longe minus ingentes sensi, inter quas poteram natare, aegre profecto. Mox litore ipso proiectus, uncis pedibus in sabulonem lapillosque inculcatis, pronus decido, ut ne me fluctus retrahat. Uno post temporis momento in terra firma asto. Conversus, video praeter litus cautium seriem, inter albicantes aquas nigrarum; nihil aliud per tenebras in mari dispicio, neque scapham neque quemquam e sodalibus.

8. Tamen haud valde caliginosa erat nox. Ingentes aliquot nubes, et plurimae nubeculae, sibilante vento raptabantur: inter has clarissima lucebant sidera e nigerrimo caelo. Respiciens ad terram, collium dumtaxat cerno lineamenta ac rupium. Tum vestimenta raptim detracta manibus contorqueo, et, quoad possum, aquam marinam exprimo. Eadem rursus induor, (quid aliud facerem?) et rupem proximam per algas enisus ascendo; frustra: nam ne inde quidem in mari quidquam discerni potest.

9. Attamen arboris forma super colle exstat. Hanc sequor, et, ut potissimum in caligine, arborem illam scando et ramos amplexus interfususque me repono. Vestimentorum in loculis nihil habui, praeter cultellum, tabaci aliquantum et tubulum fumarium. Post brevem requiem assurgens, virgam grandiusculam amputo, qua protegam me aliquatenus. Aqua marina largius hausta, tamen neque sitis neque famis aderat mihi levamen. Sed, loco cibi, tabaci folium in os meum compono,

V

implicataque ramis virga, membra mea ita dispono, ut ne decidam, si somno capiar. Vespertiliones, et maximi illi quidem, stridoribus ac volatu, somnum aliquamdiu discutiunt.

10. Item quoad concitato opus erat corpore, mens mea tranquilla fuerat ac praesens: nunc, quando quiescit corpus, maxime se mens agitare coepit. Imprimis gratias Deo optimo maximo sincerissimas profudi, admirans praesertim, si ego solus ex tanto naufragio servor. Mox id ipsum crudelissime me pungit; etenim hic solitarius, madidus, famelicus, paene nudus, peius enecor quam in mari, nisi vero feri homines sive bestiae me devorabunt. Sane ego id temporis pius non eram, minime religiosus. Igitur tanta in calamitate magnus me aestus animi conquassabat, inter grates querelasque, consilium ac desperationem. Tandem agitatione victus profundo somno conquievi, laboris ac maestitiae oblitus.

11. Mane expergiscor, multum recreatus, sed algens; nec mirum. Ceterum ibi maris temperies humanae cutis calorem aequat: etiam nox ipsa tepet: porro arboris illius densa folia fuerant mihi pro tegumento, ne calor in apertum aethera effugeret. Sciuri, psittaci, macaci sive cercopitheci circum garriebant continenter. Evigilans incipio descendere: ecce autem canis noster ad radices arboris meae, quasi custodiens. Id me tenero quodam ita affecit gaudio, ut lacrimae oculis oborirentur. Ergo non sum prorsus solitarius; unum saltem retineo amicum! Hunc demulceo, plaudo armos, paene amplector. Mox festinanter deambulans, navem nostram ex adverso conspicor, longiuscule ultra eas cautes, ubi ipse proiectus fui. Sine dubio aestus intumescens, ex harenis levatam, huc detrusit. Iam autem paene sopito vento, inanis tantum supererat undarum iactatio. At ego in margine rupis incedens, despecto circa litus: mox, interiectis vix

mille passibus, scapham nostram discerno in arena, subter caerulea quadam rupe. Adire eam volui; sed quasi lingua quaedam maris interfusa impediebat; et quoniam fame urgebar, in navem potius, si possem, regrediendum censui.

12. Degressus rupe, redeo praeter litus: ibi pileum nauticum video, summo cum maerore. Iam aliquantum recesserat aestus, atque, ut aestimabam, vix trecenti aquarum passus a nave me distinebant. Exutis palla bracisque, intrepide mare ingressus sum, inter grallatorias aves, quae plurimae aqua exsurgebant; et facile navem natando assequor. Puppis eius valde elevata est, depressa prora; ex qua catenae dependentes aquam tangebant. Has ego prehensas ascendo, et supervado loricam tabulatorum. O tristem ruinam, ubi mali, vela, funes strage conturbatissima complicantur. Sed ego ad cellam penuariam decurro, ibique arrepto pane nautico (qui bis coctus appellatur) vescor libenter. Mox, ex arca mea ipsius extractas, vestes induor atque horologium meum resumo. (Profecto resurgente aestu vesperi, ille meus in litore vestitus natans asportatus est.) Simul ut aquam potulentam invenio, sinus vestium pane complevi, ut quoties liberet, vescerer: tum meditabar, quid facerem potissimum.

13. Illud me angebat, quod manifeste, si in nave mansissemus, omnes fuissemus salvi. Super prora quidem saepius insultantes undae plurimas res corruperant; sed altera pars, puppim versus, alte sublata, sicca erat atque incolumis. Quippe, ut credo, quia in arena, non in cautibus haeserat, carinae soliditas perduravit. Quam plurimas res iam cupiebam asportare; sed id erat difficile. Scapha maior, ut dixi, in litore proiecta erat longe. Illa quindecim viros facile portabat, et in magnis Africae fluviis ad invehendos venales

VII

magno usui erat futura. Alteram comportaveramus longe minorem, cymbam potius quam scapham dixerim; quae duos homines cum remige posset ad scapham devehere, si qua iuxta ripas aquae forent breviores. Haec in nave remansit: demittere eam in mare erat in facili; sed parum capiebat, nec videbatur nimio sub onere aestum litoris toleratura. Postquam arcas ac dolia multo cum suspiratu aliquamdiu aspexi, contemplor malos, ac ratem componendam decerno.

14. Subito exsultans, ex fabri nostri repositorio serra derepta, malos disseco, ut trabes longitudine fere pares efficiam. Has in mare provolvo, funibus quibusdam malorum supra inhibitas. Ligna grandiora cuiuscumque generis colligo, ingero, omnia funiculis deligata. Postea ipse seminudus, cum malleo et confibularum sacculo circum collum suspenso, degressus equito super trabe. Undatio maris iam deminuta est: raptim ego ligna atque trabes, velis funibusque confusas, coniungo, destino, depango; vi mea maxima, quantumvis rudi, ratis fundamenta iaciens redeo supra; video quanta sint portanda onera, ratemque nondum sufficere. Tum alia ligna plurima et tabulas ex omni parte navis conquiro. Has dissecare ex suo loco, nimii laboris erat atque temporis. Sed saepta animadverto lignea, quae ad dividenda nigritarum cubilia comparaveram. Utrumque binis hamis e tergo, binis spicatis clavis e fundo, erat instructum; anulis lateri navis infixis, per quos hami inseri debebant. Haec saepta plurimam atque optimam mihi sufficiebant materiem. Quibus rebus superadditis, molem ratis et soliditatem multum adaugeo; tum funibus astringo cuncta. Longum id erat et sane difficile: necnon sol me admonebat horarum: horologium substiterat. Denique postquam, graviter insultans rati, firmitati eius confido, maximo cum dolore sentio, vix minimam

partem eorum, quae vellem, posse me asportare; iam autem deligendum esse.

15. Ab opera paulisper requiesco; vini ardentis saccharini haurio pocillum, meditorque maestissime. Ea quae ad vitam maxime sunt necessaria, decerno sumere imprimis; tum, arma ad vitam defendendam. Quattuor nautarum arcas commode vehi posse super rati mea credebam. Totidem exinanio, et, per tollenonem suculis instructum, demitto in ratem: hanc mox scalas versus traho. Sacculos impleo plures bis cocto pane, oryza, fabis, miliaria atque hordeacea farina; et facile in arcas deiicio. Fabis atque milio praesertim eramus nigritas cibaturi, et sane multum huius cibi portabamus, sed infra in alveo. Iam tres caseos Batavicos arripio, caprinae carnis siccatae massas quinque, (qua carne vel maxime vescebamur) et frumenti Europaei reliquias quasdam, quod ad gallinas alendas convexeramus. Gallinae vi procellarum perierant omnes. Ceterum triticum fuit id, cum hordeo: postea inveni corruptum esse per sorices.

16. Dein latice ardenti anquisito, vini palmaris congios fere sex, cum plurimis delicatiorum potuum lagoenis, seorsum conclusi. Hae lagoenae partim magistri fuerant, partim meae ipsius. Lacernam meam et lecti opertorium corripio, porro serram, securim, malleum clavosque: sed haec in cymba destino portanda. Plures fuisse in nave nitrati pulveris cados maiores sciebam; sed ubinam artillator noster eos habuisset conditos, eram nescius. Tandem multum anquisitos duos inveni siccos sanosque, tertium aqua marina corruptum. Cistas tres, hoc pulvere completas, curatissime intra arcam super rati ita concludo, ut, si fluctus alluat, minimo sit detrimento. Iam de igne fovendo subit cura. Coqui nostri recenseo supellectilem. Inde deripio foculum cum forcipe, vatillo

et rutabulo, craticulam ferream, ahenum, ollamque coculam. Satis oneris iam videbar imposuisse.

17. Cymbam protinus per easdem suculas mari committo; id quod difficillimum fuisset, nisi requiessent undae. Huc impono ignipultam aucupatoriam optimam, par pistolarum cum balteo, mulctram stagneam, igniaria, sinum ligneum, poculum ex albo plumbo, item corneum; cum vestibus ac fabrili supellectile, quam nominavi. Addo pilularum plumbearum sacculum ac gladios duo. Unus horum falcatus erat Maurusii mei domini gladius. Solem video declinare; itaque propere funem tractorium rati adiungo, funiculos plures in cymbam proiicio, iamque descendo cum remis, ratem ad litus tracturus.

18. Tria me confirmabant, - mare tranquillum; aestus placide allabens; aurae quoque, quantum erat, terram versus spirans. Parvam ancoram in cymba portabam. Iam remigo, atque contus animum subit. Redeo, effero contum: demum litus peto, sed directam viam cautes prohibebant. Aves multae in ratem consederunt, ut piscarentur commode. Has aegre abigo. Mox sensi me praetervehi, ipso mari clam trahente: inde sperabam posse me in fluvii alicuius ostium deportari, ubi bona mea tutius exponerem. Id quod evenit: nam rupes mox subeo, ubi in convallem sinus maris intrat.

19. Sed dum remis, quantum possum, medium in flumen cymbam dirigo, paene altero naufragio conflictor, rate vado illisa. Declivi protinus rati delabebantur eius onera, nisi propere succurrissem. Circumacta cymba, ligna aliquot de rate in interstitia eiusdem introtrudo, quasi paxillis enormibus sustinens arcas. Hic alligatus necessario commoror, anxius sane animi, donec aestus insurgens ratem allevavit. Tum in parvum quendam sinum deverto, iuxta planitiem, cui mare debebat

X

superfundi. Eo mox delatus metuebam ancoram deiicere, ne tanta moles funem abrumperet, nisi aquas stagnare intelligerem. Tandem recedens aestus in terra firma relinquit et cymbam et ratem.

20. Onera mea exponere inutile erat, nocte appropinquante. In arbore aliqua iterum dormire decrevi; itaque sufferta ignipulta armatus, item gladio serraque, per ulvas uberrimas procedo, anquisiturus idoneum cubile. Nemus haud longe video. Ibi delecta maiore quadam arbore, curvis transversisque ramis, gradus pro scalis in cortice serra incido; tum scandens cum serra amputo ramorum quidquid sit obfuturum, et cubandi facio periculum. Macacos video plures in arboribus, sed parvos mitesque.

21. Redeunti canis occurrit, lepusculum ore ferens, quem ante pedes meos proiecit. Intellexi eum magnam partem devorasse; etenim plenus saturque apparebat. Sane ego donum eius non contempsi, quamvis laniatum. Accepi; sed subit cura, ne solo meo amico priver, nisi sedulo pascam. Magno erat corpore, multoque egebat cibatu; de quo incepi meditari. - Dulcem aquam iuxta conspicor, in flumen marinum decurrentem. Mox frondibus foliisque siccis igne facto, lepusculi reliquias super vivis prunis ope gladii ac serrae torreo, gustatuque eius quam maxime fruor. Primam illam in insula solitaria cenam cum voluptate tristitiaque mire commixta memini. Iamque caligabat. Ego autem tabulam quandam reportatam clavis destinavi ad ramos arboris meae, ibique lacerna obvolutus somno me dabam. Ignipultam inter ramos apposueram: canis iacebat subtus. Pistolis quoque succingor, ne simia aliqua maior me incessat.

22. Et profunde equidem dormivi, defessus laboribus; tamen ante lucem sum experrectus: (etenim illa in

regione aestatis ipsius nox proxime ante diluculum tenebras obtendit) atque ego meditans consilia mea compono. Ut primum dilucescit, descendo. Ligna aliquot exacuo securi; tum pro sublicis in arenam ita adigo, ut ratem, quamvis crescentibus aquis, inhibeant. Nitrati pulveris cistas lacerna protego, si forte pluat. Serram, malleum, clavos, tabulas duas, robustam tenuemque, argillam mollem, cum vetere fune pro stuppa, in cymbam colloco. Aquam mulctra haustam sumo mecum, item poculum ac panem. Lepusculi, quod restat, cum cane divido, ipsoque in cymbam assumpto flumen ingredior, scapham nostram invisurus.

23. Pleno maris aestu, tardius descendo flumen; mox intra cautes litus lego, ne quid undarum me incommodet. Magis magisque admiror avium abundantiam, qua marinarum, qua silvestrium. Inter cautes ac litus grallatoriae abundabant. Ad scapham tandem pertingo; perfractam invenio, velut animo praeceperam; credideram posse me detrimenta eius resarcire. Sed viginti passus a mari iacebat, procella aestuque illius noctis longe evecta; neque summa mea vi potuit moveri. Porro, remos idoneos neque habebam, neque, si haberem, adhibere possem, onusta certe scapha. Aeger animi hanc relinquo, remigoque navem versus. Cogitans autem statuo malum velumque scaphae anquirere, si forte postea horum usus venerit.

24. Ad scalas navis accedo. Has natans non potueram manu attingere: etenim puppis nimium erat elata. Sed astans in cymba, facile eas apprehendo. Cane primum superposito, alligataque cymba, ipse ascendi; mox desideo inops consilii. Ollam offendo fructuum conditorum: cum pane vescor, dum cogito. Video alteram ratem non posse me construere; spatium diei non

sufficere, si trabes ipsa ex nave sint dissecandae; loricam tabulatorum discindere, laboriosum fore, nec valde utile.

25. Maurorum memineram rates utribus suffultas. Utres non habebam. Arcas aquae impenetrabiles volebam pro utribus adhibere; sciebam autem nostras solido esse robore et astricta fabrica. Unaquaeque harum ligneo pessulo rudique sera obdebatur; cuncta compari erant modulo. Die superiore, dissecto serra pessulo, facile aperueram quattuor illas; idem nunc facio in ceteris, atque exinanitarum exploro commissuras. Arctissimae videbantur; id gaudeo: sed funibus propere in mare demisi quattuor harum, ut commissurae aqua intumescerent; meam ipsius, quae optime fabrefacta est, pice ac stuppa circa operculum incepi oblinere, periculum faciens, num aquam excludere possem. Postquam operui, cuneos tenues ligneos iuxta pessulum inferciebam, quo astrictissime concluderem. Hanc in mare demisi, fundo sursum sustentata; atque ibi religatam reliqui, ut operam meam aqua exploraret.

26. Iam video diem procedere, metusque subito me incessit, ne quis thesauros meos e rate compilaret, neve bestia corrumperet cibum. Insula foret an continens terra, culta an inculta, ferocibus bestiis infesta necne, - nondum sciebam. Ratis autem dilectissima oculis solique exposita manet, dum ego novas hic res conquiro! Credebam non posse me illo ipso die novae ratis onus asportare; satius esse, redire quam citissime. Illud succurrit: "Heri, quae ad vitam maxime erant necessaria, avexi; hodie, quae pondere levissima sunt, nundinatione pretiosissima, aveham in cymba; ut si forte navis aliqua me servabit, ne prorsus sim pecuniae inops." Duos gladios pulchros e caeruleo chalybe invenio; hos avide sumo. In secreto magistri scrinio aureos nummos Hispanorum (doblunnos vocant) certo sciebam contineri;

quos ille comportabat ne, ventorum vi aliquo devectus, pecunia ad reficiendam navem egeret. Dolabra protinus fores scrinii perfringo: invenio autem non auri solum crumenas, sed instrumentum astrologicum, pretiosum illud quidem, ac duo optima horologia; item furcillam mensalem et cochlear, utrumque ex argento; mox duas acus magneticas, utramque sua in capsula: tertiam videram ipsum iuxta gubernaculum, propter usum gubernandi. In mensula offendo supellectilem geographicam ac scriptoriam, cum libris quattuor. Cuncta arripio, et quasi votum Deo concipio, numquam, quantum in me est, cognatos magistri optimi quidquam laturos damni, si forte in hominum gregem restituar.

27. Dum meos ipsius perscrutor loculos, unde argentum, arculas optimas clavesque aveham, illud "si forte" animum auresque meas pertentat. Immo totum hunc diem quasi rhythmus quidam "si forte" tinnit in auribus, dum remigo, dum incedo. Iam res pretiosissimas in arculis concluseram, quum scaphae memini armamenta. Haec facile reperio. Malum eius ad terram attrahendum decerno, pone cymbam alligatum. Quamvis properans, temperare mihi nequivi, quin lardi asportarem succidiam, cum bulborum maiorum marsupio ac capide duobusque cultris. Dein, quidquid videbam corbium, fiscorum, riscorum, quod natare poterat, restibus constringo, et pone traho, in cymba portans me ipsum ac canem cum novis thesauris. Ecce autem, dum in eo sum, ut navem relinquam, duae feles cymbae insiliunt, quas quidem neque ego neque canis aspernatur.

28. In remigando, vereor ne agmen meum, pone tractum, vado fluminis illidatur; in litus potius proiicere volo. Dein locum puto exquirendum, ubi ratis mea postero die tutissime appellat: nam si arcae in fundo ratis aliquo affligerentur, maximum fore periculum ne cunctae res

disperirent. Dixi lingua quadam maris primo illo mane me a scapha intersaeptum. Hanc video ad dextram cautium, eoque dirigo cursum. Corbes, malum scaphae, cetera, facile in litus sursum traho; dein sinum illum maris propero intrare.

29. Circa quingentos passus penetrabat terram, rupe praecipiti undique circumclusus. Ostium angustius erat, quia aspera saxa utrimque exsurgebant postium instar. Litus intimum e mollissima ac planissima erat arena; id quod facile perspexi, quia nondum altius pertinuerat aestus. Ultra arenam video algas cactosque. Huc certum est ratem illam cras deducere. Quae quum summa celeritate lustrassem, contentis brachiis domum remigo: nempe domum ire, erat, ad opes meas. Intra cautes mare inveni tunc quidem sane tranquillum.

30. Ad coquendum protinus accingor, praesertim (si credere possis) propter canem; immo, propter feles item; namque ad quidvis, quod posset me amare, mire allectabar. Quattuor intra lapides ignem accendo. Tres stipites, infra arenae infixos, supra fune colligo; inde sua catena suspendo ahenum coculum. Aquam in capide apportatam infundo; addo fabas, farinam hordeaceam, lardi segmen cum bulbo. Materia igni largius iniecta, ignipultam arripio paroque collem ascendere qui haud longe aberat. Canem mecum adsumo, feles credo propter fervorem ignis nihil nocituras cibo.

31. Mille quingentos passus ad summum aestimabam iter illud; sed quia propter rivulum quendam atque uvidum solum circuivi, longius erat aliquanto. Demum enisus per praecipitia, mare undique circumfusum conspicor, aliam nulla ex regione terram, praeter scopulos aliquot duasque pusillas insulas novem fere milia occidentem versus.

Unus in postico mons mare exsuperabat; sed tamen eram in insula. Hoc me magnopere angebat.

32. Magna ex parte sterilior videbatur insula, saxosis collibus abundans, non sine arboribus; quae quidem in cavis locis densabantur. Nisi numerarem felem quandam feram, carnivoras non offenderam bestias; sed praeter macacos ac sciuros in convalle, lepores et exiguos porcillos videram; aves autem notas ignotasque ubique quam plurimas. Alitem maiorem, arbori insidentem, glandibus olorinis transverbero rediens. Pluma eius rostrumque accipitris erat, ungues modicae, caro piscibus foetida. Tum vero memet increpabam quod iaculandi suppetias perderem. Alites autem rapaces, quamquam plurimos, non magnos illos videram. Porro feras huius insulae coram homine plerasque intrepidas esse repperi. A collis iugo ingentes prospicio arbores, quas aestus in flumine resurgens debeat alluere. Hae supra ratem erant, neque procul ab arbore in qua proxima nocte dormiveram. Subter has statuo ratem attrahere, succedente aestu. Sed propere reversus, ignem exstinctum invenio, cibum non male coctum. Feles, valde famelicae, magna voce querebantur. Has et canem largiter pasco; et mecum statuo, plures etiam me fabas, si possim, nave extracturum.

33. At ferae visio felis me commoverat aliquantum. Verebar ne maiores eiusmodi bestiae hic degerent, ut pardus, ut panthera, quae arbores facile escendunt. Circumvallare me certus sum. Utensilibus arreptis fabrilibus cum materia ac fune, peto arborem meam; ubi, incisuris securi impressis, palos infigo, breves tabulas supra destino, tum quattuor desuper palis contra ictus infernos corroboro. Quippe intellexi felem quamcumque ab ipsa stirpe arboris tamquam incurrere sursum; et si quid praerupte emineat, arceri. Restim autem quasi in

anulos duos sive amenta complico, quem ramis alligatum, ipse possim prehendere ascendens. Tali tum podio arborem, ut poteram, praetexui: postea confirmavi, pleniore adiutus supellectile.

34. Iam video noctem aestumque approperare. Sublicis evulsis, pone cymbam traho ratem, apponoque sub arbore ingenti incolumem; ubi latere posse credens, sublicis iterum depango. Deonerata cymba, compono res omnes accurate. Tum, crastinis consiliis aestuans, tamen somno celeriter corripior, alatis blattis atque vespertilionibus contemptis.

35. Evigilo ante diluculum. Depropero ad cymbam detrudoque in fluvium; canis quasi suo iure insilit. Subter stellis remigo, adverso aestu. In navem invado, etiam ante solem ortum; sed dilucescebat. Inspicio arcam meam; optime aquam excluserat. Ceteras item e mari subtractas stuppa ac pice pariter ac meam ipsius concludo. Omnia funibus contentissimis astringo. Mox quattuor sufficere videntur; immo sic tutius fore ad primum experimentum. His in mare delatis, et firmissime constrictis superpono dolium pulveris nitrati, alterum panis, mox totum fabri repositorium. Adiungo seriam olei, ollam picis, arma missilia aliquot, alias res minores. Vela quotquot inveni, quae supervacanea portabamus, cum scaphae velo, collocavi supra; superque his rursus carbasum quendam pice liquida oblitum. Tantum onus facillime videbantur arcae tolerare.

36. Postquam restibus omnia consolidavi, paulo ante meridiem, strenuo nisu ratem ad litus traho, paene infimo in aestus recessu. Sed inter postes saxeos in sinum illum procedo, neque in flumen adversum volo me committere. Mare intra mox quietissimum invenio, et quasi in stagno religo ratem. Maxime gavisus, proiicio me sub rupe et

paulisper sub umbra requiesco: dein cibo recreatus, ad operam redeo.

37. Quidquid erat in rate, in algosum siccae arenae acervum expono; sed laboriose, propter humiles aquas. Video mare adhuc tranquillum; cras posse co-oriri procellas. Spes et cupiditas, quamvis lasso, dedit vires. Cum carbaso illo (si forte sit usui) atque cunctis funibus retraho ratem ad navem. Quintam illam propere adiungo arcam, et aliquot res ponderosas impono; inter quas hic nominare libet molam ferramentis acuendis, glandium maiorum cadulos duo: in cymba autem meas vestes, et pulveris nitrati aliquantum. Cuncta deporto intra postes marinos incolumia paulo ante tenebras. Valde defessus inde redibam: sed aestus cymbam subvexit sine mea vi. Vix poteram cenare; igitur pasto cane felibusque, somno me commisi.

CAPUT SECUNDUM

38. Trium dierum res gestas narravi singillatim. Imo in corde meo inscriptae sunt, quasi hesternae essent. In iis quae sequuntur, saepius accidet, ut rem probe noverim, diem meminerim parum; nec lectori iucundum foret, ut res, si possem, diarii more enarrarem. Dehinc, quae ex nave insuper avexi, summatim potius memorabo.

39. Quarto mane dormivi post lucem. Ieiunus, vescor avide: etenim in aheno cibus aliquot dierum mihi meisque restabat. Sed quasi nervis succisis, languebat animus fastidiebatque suos successus. "Cur laboro?" aiebam "cur-ve iuvat me vivere, solitarium, moribundum? Quid prosunt navis spolia, nisi ut aliquot dies vitam extraham?" Tum addidi clara voce: Nisi forte! Nisi forte! Mox intelligo ventum a mari flare, aestum violentius insurgere, in ostio periculosum forsitan cymbae fore. Cymbulam autem illam maioris quam cuncta quae in nave restabant aestimabam.

40. Tum si ad navem ratem e portu meo traxissem - etenim illum maris sinum postibus munitum iam Portum Meum appellabam - quis sponderet, quin naufragium ipso in flumine paterer rediens? Nubes porro volitare animadverti; imber ne caderet, melius tegi, quae exposita reliqueram in portu. Etenim cava plura illa in rupe cognoveram. Illuc igitur pedibus confestim ire decerno.

41. Rupes ad laevum primo rubra erat, nisi ubi alga obtegeretur; ipso in portu alba; ulterius praeceps ac caerula: omnis autem e saxo (ut credidi) calcario. Portus cavis locis, immo cavernis abundabat, quarum in aliquam possem sine magno labore eas res recondere, quas pluvia corrumperet potissimum. Per algas cactosque enisus, huc reposui lectum vestesque omnes, item panem,

ignipultas ac nitratum pulverem, carbaso illo picato contecta. Res fabriles et cetera graviora velis obtexi.

42. Iam corporis illuvies me vexat; nam per tres laboriosissimos dies ac duas noctes iisdem in vestimentis illotus manseram. Discingor nataturus. Pleno fere aestu quasi lacus maris clarissimus coram redundabat. Cadebat pluvia tenuis, sed inter nubes radiabat iubar; mox apparebat arcus caelestis. Mire ille visus stringit mulcetque animum meum.

43. Atqui canis in aquam me insequitur et mecum vult ludere. Nostratium canum ille fortasse Graio Hibernorum cani simillimus erat, Molosso domestico gracilior et velocior, glabro item corpore, ut caloribus nato. Probe natabat, sed digitatus erat, non palmipes (quod appellant); id est, digitis non erat pellitis; atque ego velocitate natandi facile eum superabam. Itaque hunc dum eludo, me recreo. Ut ex aqua egressus sum, is crura pedesque meos tam amanter lambit, atque tam gestit me recuperasse, ut nequiverim me continere. In effusum fletum solvor, velut olim in pueritia, sentioque cor exonerari. Vestes mutavi: immundas in aqua marina sub maioribus lapillis demergo: tum egredior, insulam exploraturus.

44. Scando e portu per ardua. Inde video illum collem, quo antea enisus sum, hoc a latere ascensu facillimum. Culmen rupium planities erat sive campus calcarius, delicatis vestitus herbis. Hae recenti pluvia ita erant recreatae, ut nova veteribus admista folia florum praetulerint speciem, ubi rubor vel purpura cum novo virore contendebant. Lepores sive cuniculi suis e latibulis egredientes audentius me aspexere, quos ne insequeretur, aegre repressi canem.

XX

45. Mox in scopulosa loco evado, et capros discerno feros procul; antilopas potius dixerim. Pone saxa inserpo, quamquam minime fugaces erant. Glandibus olorinis tubum suffercio; dein igne emisso occido capram vulneroque haedum iuxta. Canis intercurrens haedum prehensa pelle attinet, dum assequor. Crure vulneratam posteriore invenio; poterat tamen incedere. Matrem volui reportare ad flumen vallemque meam; sed fateor, adhuc eram tam delicatus, ut noluerim recentem vestitum sanguine commaculare. Sudario e sinu vestis extracto, argillaque uda in vulnus compressa, constrinxi firmiter; tum gramine sanguinem omnem abstersi.

46. Volui eam in cervicibus portare; sed quando conor, id vero meas vires exsuperat. Super glareosam humum aegerrime cornibus eam traho, in gramine facilius. Haedi cornibus funiculo circumdato, hanc duco mecum simul; id quod, dum ignipultam porto, paene nimium erat; igitur saepius consedi. Via autem et declivis erat, nec longa, circa alterum iugi latus; itaque tandem perveni.

47. Protinus in udo linteo crus haedi astringo; et, ne longus sim, tanta cura foveo pascoque (nam grandiuscula erat) ut mansuetissima evaserit. In arena, iuxta ratem primam, sub densis umbris, pelvem excavo; in quam, aqua semisalsa repletam, recondo capram, ut otiosus carni coquendae dem operam. Canem appropinquare vetui; pasco autem liberaliter et hunc et feles: aves tamen metuo, ne carnis sint cupidae.

48. Dum strenue me exercebam, vix sentiebam miserias meas: sed simul ac lassitudo abrumperet operam, nisi somno corriperer, mens coepit agitari: id quod saepius mihi evenit. Meas egomet cogitationes nequibam tolerare, et variis quasi ventis huc illuc ferebar. In desperatissima condicione me videbam, extra navium Europaearum

cursum. Fracto animo, lugens, interdum lacrimans, diffisus Deo, decreta eius conquerens; rursus ipse memet obiurgabam, solabar, hortabar, confirmabam, maxime gavisus quod tot res e nave congessissem.

49. Itaque per id tempus, quoniam apud neminem potui vicem miserari meam, aperui capsam scriptoriam, ex qua chartam, calamos, atramentum protuli, incipioque angores meos argumentando effundere, quasi per sermonem. Mox talem altercationem in tabulas (ut ita dicam) accepti impensique refero, quas lectoris oculis nunc subicere libet:

Mala mea.
1. In insula solitaria sum proiectus.
2. Ego unus e sodalibus enecor aegrimonia.
3. Exsulo e societate hominum.
4. Vi bestiarum sum plane obnoxius.
5. Laboriosissime victum quotidianum quaero.
6. Servio hic servitutem perpetuam.
7. Nisi prius solitarie moriar, ad solitariam senectutem reservor.

Levamenta malorum.
1. At non es demersus, sicut ceteri.
2. At tibi uni restat spes aliqua effugii.
3. At non servis hominibus scelestis.
4. At non in belluosam Africam proiectus es.
5. At magnam tu habes ex nave opem.
6. At alios tu in servitutem non redigis.
7. At non tua magis quam parentum senectus erit solitaria.

50. Profecto ultima illa nimis me pupugere. Quae pro levamentis scripsi, vulnus animi recrudescere fecerunt. "Peccavi", inquam: "meritam poenam tolerabo viriliter: fortasse ipsa poena aliquid tandem boni afferet". Tum

cito sedata est omnis mea perturbatio. Ego autem haec atque talia reputans, admiror, quanta sit vis vel incertae obscuraeque religionis, si modo recta intendatur via. Illud fortasse et si forte pluris est, quam quis putaverit; quia saepius indicium est animi per tenebras, lucem versus, enitentis. Id autem ipsum est virtus: nam sapientissimus quisque nostrum in sua tamen versatur caligine, semperque eluctatur pleniorem versus lucem. Itaque iterum evasi strenuus.

51. Tum cani felibusque haedum conciliare studeo. Omnes paxillis depango vicinis; unicuique suum largior cibatum; unumquemque sua vice demulceo. Ex consuetudine spero familiaritatem, ex mea caritate caritatem mutuam. Postea ad portum cane comitante reversus, alias exploro cavernas, pluresque res melius ordino.

52. Tredecim dies in terra degebam, necdum navis evanuerat. Illam undecies (credo) ascendi. Quantumvis coacervaveram, plus tamen concupiscebam; et dum navis consistebat, inter eam portumque meum acerrimum sustento ratis commercium. Res aliquot, quas avexi, libet hic memorare: incudem artillatoris, quam aegerrime amolitus sum; virgas vectesque ferreos; pensilem lectum cum lodicibus; supparum anticum e subsidiariis; lacernas plures; piscatoriam supellectilem novam atque amplam. Porro e re iaculatoria magnos forcipes follesque, malleum robustissimum, pelves ferreas ad plumbum liquefaciendum, vatillum grande. Tum omnes ignipultas, bonas malas, asporto; item alterum par pistolarum. Demum fabrilem mensam, retinaculo cochleato instructam, multo cum labore per tollenonem demitto, laetusque comperio hanc per se natare. Inter minores res memoro libram cum lancibus aheneis, sive trutinam oportet appellare, quam in scrinio magistri offendi. Ille

propter medicos, credo, usus habebat; nam magister nautis pro medico erat. Ego hanc, velut pecunias, idcirco asservavi, siquando pro nummis valeret. Ingentem plumbi convoluti laminam, quae nimia posset esse, securi malleoque discissam particulatim asportavi; etiam magnum pilularum plumbearum vim, plures rudentes, funes, ferreos hamos, clavos, pessulos, confibulas, anulos. Cannones sua ex sede non eram deturbaturus. Postea magnum tritici dolium laetus invenio, seriam optimi adoris, sacchari cadum maiorem, vini ardentis amphoras tres; porro cultros furcillasque mensales, grandem forficem, tres novaculas, quattuor nautarum gladios sive sicas.

53. Ne forte miretur lector, quare tantam bellici terroris vim in mercatoria nave vexerimus, naturam illius commercii curatius demonstrabo. Homines barbaros e Guinea eramus in servitutem reportaturi; quem ad usum et ipsa navis et omnis eius dispositio ceteris erat valde diversa. Grandiuscula erat navis, navales socii sedecim. Cannones habebat quinque - unam a tergo - ne forte aut cum praedonibus aut cum nigritis foret confligendum; neve, propter subitum aliquod in Europa bellum, Lusitania implicata, nos tamquam Lusitani lacesseremur. Ignipultae quoque inerant plures, pars venando, alia pars pugnae apta. Simul pulveris nitrati plumbique rotundati vim magnam vehebamus, atque adeo hominem unum toti rei iaculatoriae praefectum: artillator appellabatur. Harum rerum impensa valde minuitur negotiatoribus lucrum, nisi quod hoc in commercio merx quae exportatur vilissima est; quae reportatur, pretiosissima.

54. Aliquot fabas prima in rate asportavi. Quamquam sciebam magnam huius cibi vim navi fuisse impositam, sed infra in alveo, credidi marina aqua corruptam esse. Nihilominus descendo. Puppim versus omnia sicca erant;

in inferiore parte aqua stagnabat. Sed non me illud repellit. Infra nudus, per aquam incedo, quae genu attingebat, scrutorque merces palpando: tandem saccos invenio fabis plenos. Unum horum placebat avehere, sed quando conor, nequeo ad tabulata extollere. Re deliberata, non operae pretium videtur de cibo madido laborem expendere; nam asservari posse quis spoponderit?

55. Mox res duras acutasque sub pedibus sentio; ipsa erant ferramenta, quae inter merces nostras imperaveram. Palae, plane nostratium instar, profecto non inerant; tantum ligones, furcillataeque marrae, praeter sarcula ac dolabras. Deinde in secures incido. Tales res sub aqua diiudicare, paulum difficile erat. Num operae esset pretium auferre, - dubitabam. Tandem aliquot cuiusque generis assumo, praesertim capita securium ac ligonum.

56. Postea felicior eram. Nam in conclavi quodam, quod coqui nostri erat proprium, quinque offendi corbes, fabarum plenas, apprime siccarum. Has curatius repono avehendas, et aliam post aliam cunctas demum ad terram deporto salvas.

57. Porro dum mensam fabrilem amovebam, quae supra erat, non in alveo, pone in angulo fasces quosdam mercium retexi. Hos aperio. Intus erant versicolores vestes, quas propter Afrorum commercium imperaveram. Avide corripio, sed nesciebam quare. Postea numeravi, invenique sexaginta. Ceterae, ut opinor, fuerant in alveo.

58. Duodecimo mane, ut remigo ex portu ratem pone trahens, fluctus asperior aliquantum aquae in cymbam immisit. Exhaurire simul atque remigare non poteram: si remos inhiberem, verebar ne deflexa cursu cymba latus undis obiceret. In portum, ut tutius, statim redeo: ibi

roborandam suscipio cymbam. Altiorem facio proram, additis tabulis, quae, ferreis virgis firmatae, aliquantum asperginis possint reiicere. Non longi laboris erat illud; sed nimius ventus me terrebat, igitur reliquum diem scaphae addixi.

59. Illud consideraveram. Naufragium recente luna passi eramus ipsis in Kalendis Septembribus. Ad plenilunium iterum intumescente Oceano posse credebam sublevari scapham; grande momentum, servaretur-ne an prorsus confringeretur. Ex arcis meis unam deligo, aquae (siqua alia) impenetrabilem. Quidquid in scapha infirmum videtur, summa mea arte reficio, seu stuppa ac pice, seu argilla vitrearia[8] opus sit. Simul ac aestus recesserat, ancoram quam longissime per arenas mare versus traho, suo ancorali arctius scaphae colligatam. Dentem ancorae firmiter defigo, quoad possum. Ipso in ancorali, circa septem pedes ab ancora, funem brevem nodo astrictissimo implico; mox huc deportatam arcam eodem fune connecto.

60. Illud evenit, quod speraveram. Arca aestu insurgente sublevata, simul ut ad scapham aqua pertingebat, (nam ego cum spe metuque cuncta notabam) incepit scapham attrahere. Tum pro cupa natante arca mihi erat. Confestim decurro ad cymbam. Per aestum remigo, ubi propter altitudinem aquae fluctus non se frangebat; et ut primum scapham assequor, eam remulco inhibens, solvo ancorale; nam ancoram extrahere, nimii id fuisset temporis. Mox, ovans et praegestiens, scapham in portum deduco incolumem. Haec in duodecimo erant die.

61. Mane insequente, quum speculor, sentio mari male credi: tamen quasdam etiam res volui eripere, quamquam rati non confidebam. Scalas navis ac tollenonem ad ultimum reliqueram. Optimas habebat fores diaeta

principalis: has concupivi, quia bona erant fabrica. Cardines facile avello: fores reste firmiter colligo. Dein suculas cum trochleis assumpsi; ipsius porro tollenonis ferramenta omnia: sed scapum rostrumque eius, quae lignea erant, trahenda per aquas destinavi, cum scalis et foribus. Ferreum onus, uno homine non gravius, in cymba decerno asportare.

62. Impigre redii, sed aestus in horas magis tumescebat. Tunc quum maxime intrabam portus ostium, agmen pone tractum adeo disiectabat cymbam, ut ego perterritus funes necessario absolverim, ne demergerer. Incolumis egomet postes illos praetereo, laetus quod nihil mihi cymbaeque accidisset, praeter asperginem profusam.

63. Ventus etiam atque etiam incrudescebat: post tres horas violenta flabat procella, quae totam per noctem furebat. Mane, ut prospexi, evanuerat navis.

CAPUT TERTIUM

64. Equidem ut vacuum aspectabam mare, neque lacrimatus sum neque gemui, ne agitabar quidem animo. Sed tenerum quendam sentiebam affectum, tamquam si fessa aetate parens, cuius magnis fruimur beneficiis, legitime ac necessario decessisset. Immo non tam navis quam egomet videbar obiisse mortem. Ab hominibus abscindor, novo sum in orbe rerum, asto tamquam in aeternitatis solitudine. Ignotus me circumambit Deus, cuius sentio tum misericordiam tum severitatem, me ipsum culpans sed non amare, nec sine modo. Non in genua procumbo; non preces, non vota concipio; grates non effundo, nec paenitentiam; tamen caeca quaedam, ut opinor, me penetrabat veneratio. Certe eram et tranquillissimus, et quasi religiose defixus.

65. Ex hoc statu me expergefacit canis, amanter blandiens. "Ah! quam vellem posses colloqui!", inquam clare; et amore erga canem haeduleamque meam atque ipsas feles valde pertentor. Prope paenitet me, quod capram matrem occidi. Quoniam bruta animalia, si modo reciprocare amorem possint, communem habent nobis socialemque naturam, nolo vitam eripere temere. Haec cogitans, insuper memini, parcere nitrato pulveri quam sit bonum, pondus caprae quam fuerit molestum. Paulo post quaerebam, cur, si victum terra subicit, malim ferarum more raptas vitas praedari. Illa sane quaestio profundius in pectus descendit, postquam ubertatem insulae plenius compertam habui.

66. Sed exsulto, et pastis animalibus, de fabis meis satago, quarum aliquas aqua coctas velim, pro canis cibatu. Postea has coquebam cum carnis frustis, cum sebo, lardo, demum piscibus vel oleo; faciebamque massas quadratas: tum si aliunde nihil foret in promptu,

XXVIII

hinc et canem et feles pascebam. Semper denique hoc modo pauxillulum carnis aut piscium pro condimento adiungebam fabis, farinae vel radicibus.

67. Postero die, caelo sereno et mari tranquillo, ligna tollenonis et diaetae fores eiecta sunt in litore; cum minore detrimento quam quis exspectaverit. Has res, ut primum possum, citra vim undarum traho; denique in cavernas illas, de quibus dixi, depono, et quando ab aliis operibus vaco, restituo tollenonis ferramenta. Postea hunc ad navale meum constitui, propter usus scaphae.

68. Sed de domicilio meo multa erant decernenda. Cavernas in rupe quo latius exploraveram, magis admiror. Ultra numerum videbantur. Aliae patebant, sine externo pariete, tamquam porticus aut ambulacrum; aliae angusta ianua, intus cameratae, iunctae sunt item internis ostiis, ita ut tota rupes velut spongia esse posset.

69. Contemplans credidi, has mari esse excavatas: nam sub pedibus pavimentum erat saxeum, molliter tamquam fluctibus rotundatam, et quasi per latissimos gradus ascendens. Omnia mea possem hic optima cum disciplina disponere; sed de cubiculo erat praecipue cogitandum; nec libebat arborem meam prius relinquere, quam munitius quiddam reperirem.

70. Illud animadverti, - nihil saxorum praeter litus iacere, quod a rupe cecidisset; et quidem ubi gelu est ignotum, rarior esse debet talis rupium labes. Porro pavimenta cavernarum parca tantum arena vestiebantur, tamquam vento illata. Lacunaria fere camerata erant, hic atque hic quasi stiriarum massis distincta. Aquas per rupem stillantes crediderim saxo saturatas fuisse.

71. Litus externum, propius undas, algarum erat ferax; internum, ultra summos aestus, alia quadam alga et cactis aliisque spinosis fruticibus opplebatur. Plures horum in decem pedes surgebant, aliquot in quindecim. Ex his silva plurima et quasi umbraculum ante cavernas praetexebatur, ne quis e mari vel a rupe opposita facile intro perspiceret. Ego autem, arrepta securi, continuam sub rupe aperiebam semitam, succisis cactis ceterisque, quidquid nimium obstaret. Iamque velut in meam villam me recondo.

72. E cavernis duas praesertim denotavi, unam pro cubiculo, alteram pro penaria. Utraque internum habebat ostium, per quod aura flabat salubris. Senseram autem, et apud Mauros et in Brasilia, quantum nox frigidula corpus fervoribus adustum foveret atque recrearet; et si in magica hac horrendaque insula (sic eam quandoque vacuis oculis contemplabar) per summos calores habitandum mihi foret. Tale cubiculum magni aestimabam. Opera quaedam hic meditabar, si huc mea omnia congererem; propter quod consulto opus erat.

73. Mari seu terra, ipsam ratem, sive bona mea ex rate, deducerem, aut periculosum aut laboriosum fore opinabar. Mox subit haedi cura, cui neque pabulum hoc in loco habebam neque aquam dulcem. Mihimet profecto aquam imprimis anquirere opus erat: sed non diu huius rei inopiam queror.

74. Etenim postquam per spinas fruticeti longius patefeci viam, et dulcem aquam et navale scaphae idoneum invenio. Post quingentos amplius pedes abrupta humus erat, alveo marino intus penetrante, tamquam ostio rivuli. Intelligo alveum hunc, quasi flumen submarinum, ad Postes Saxeos continuari; intus autem navale, mihi satis profundum, etiam in recessu aestus praeberi.

75. Hunc in alveum rivus e terra praeceps decurrebat. Spatium autem praetereundi inter rupem alveumque satis latum patebat, succisis modo fruticibus. Iam tollenonem mente destino in margine erigendum: sed redeo contentus in vallem, de ordinatione bonorum meorum meditans.

76. Omnia de prima illa rate detraho disponoque subter quadam arbore, cum ipsa ratis materie. Latere volebam, si forte quis adveniret. Plurimas caedo virgas, quae facillime udo in solo possint frondescere, hasque ita defigo, ut quam maxime, quidquid sit intus, obtegant. Huc deduco haedum, velut suum in praesepe. Cistas quae pecuniam, quae astrologicam supellectilem, quae pulverem nitratum continebant, has et capsas scriptorias aliasque res minores, singulatim ad cavernas asportavi: postea culinae instrumentum.

77. Post aliquot dies, his rebus ordinatis, caelo sereno, censeo deambulandum. Caput infula densa, Turcarum more, obvolvor; quod quidem in Brasilia faciebam. Balteo pistolisque succingor. Grandem cultrum plicatilem sumo ac peram; dein convallem ascendo iuxta ripam fluminis. Nova in regione omnia non possum lectoris animo subicere, quae meis occurrebant oculis; sed plura conabor paulatim expedire.

78. Avium versicolorum tanta erat multitudo, ut nisi in Brasilia praerepta mihi esset admiratio, tunc obstupescerem. Hic autem me praesertim alliciebat pulcherrima illa avicula, quam in Occidentalibus insulis Angli aviculam bombilantem appellant. Plura quidem huius generis passim volitabant, item mira papilionum varietas.

79. Immo, non modo alia prorsus arborum, fruticum, graminum, foliorum genera apparebant, nostris hominibus ignota, verum etiam fere omnis arbor reptatoriis fruticibus, vitium aut hederarum ad instar, vestiebatur; atque adeo, obruebantur plurimae. E tanta varietate vix quidquam primo poteram agnoscere: ceterum imprimis anquiro esculentas radices atque ignis alimentum.

80. Quidquid iuncorum obviam venit vel cannarum, medullam exploravi, anne idoneum praeberet fomitem. Tria demum genera in peram selecta condidi, quae experimento probarem. Aridas sive ligni sive lignosorum foliorum reliquias celerrima flamma arsuras credebam. Talis materiae plures asportavi pugillos. Rubos quoque notavi dumosque aridos, ex quibus immensa copia cremando sufficeretur.

81. Mox fruticem video, qui piper gignit; sed magis gaudebam, quod dioscoreas esculentas inveni multas. Duo harum genera optima pro certo agnoveram, - quae alata appellatur, et quae globosa. Ulterius perscrutans, adeo abundare intelligo has radices, ut, si conservari possint, cibus semper futurus sit in promptu. Iam cinchonam video arborem, colligoque ramos plures. Ne longus sim, satis sit narrare, me circa hos locos postea invenisse medicas quasdam herbas, quas in Brasilia didiceram, et alias quas pro condimentis ciborum aestimabam.

82. Acclivitas vallis augescebat. Vix quattuor milia passuum aestus marinus in terram penetrat.; sed modicus rivus pluresque rivuli descendebant per plantas et arbusculas. Propius ad colles densantur generum diversorum arbores, grandes aliquot. Nova simul atque folia in eadem consistebant arbore, id quod colores

pulcherrimos contendebat: immo, exoriebantur fructuum germina ipso e ramo, unde pendebant fructus putrescentes.

83. Quinque vel sex milia continuavi iter, semper ascendens convallem. En vero, hic loci seges illa pretiosissima blanditur oculis, zea virore et auro fulgens. Plene maturam credidi. Humi iacebant grana plurima et siliquae. Pigebat me, quod maior mihi pera non erat in promptu. Quantum potui, inferciebam, iamque pro certo habebam cibum mihi numquam defore. Tandem colles sinistri se demisere; atque alia vallis, latior atque amoenissima, quasi hortos viridissimos in sinu suo retegit. In fronte mihi assurgebant iuga altiora, montes paene dicerem, spissis vestita herbis, ex quibus undique stillabant rivuli perennes. Arbores fructiferas admiror, inter quas dispiciens agnosco citros, aureas malos, et Assyrias malos, quas limonas appellamus. Sane iucundissimus erat ruris aspectus, meque sensi esse opulentum latifundiorum dominum. Utramque vallem mihi tamquam proprium protinus assero, nominoque priorem convallem meam, vel Convallem Fluminis, alteram Hortos meos.

84. Multum me alliciebat hortorum amoenitas, copia arborum et dulcis aquae, defensioque montium. Deliberabam de commigrando illuc, nisi quod nollem maris prospectum amittere, si navis veniret: immo, prorsus nolui cymbae scaphaeque usus renuntiare: necnon per pluviales horas nihil cum cavernis meis videbatur contendere. Etenim hac in regione caeli liquebat mihi dirissimas aliquando esse exspectandas procellas, quae tentoria ac domicilia perverterent; tali in tempestate nihil cavernis esse comparandum. Pigebat me videre fructus plurimos et optimos humi prostratos et aqua putrescentes. Arbores passim vim venti prodebant.

Sine dubio autumnales procellae tantas fecerant ruinas. Serius ego hos in locos processeram, messe fructuum praeterita. Attamen hoc sub astro tam vegeta est vis terrae genitalis, ut novi fructus apparerent, qui mox possent maturescere. Plures horum concupivi, et de modo convehendi meditabar.

85. Redii ad cavernas alacer animi, curarum oblitus. Peram oppleveram illis rebus quas memoravi; loculos autem vestium aromatis, gumine et citreis malis aliquot. Protinus novos thesauros curate digero. Denique a cavernis in arborem meam propter noctem retro cedere, paulo laboriosius videtur.

86. Mane quum expergiscor, sentio dierum me amisisse computationem. Ne prorsus fierem barbarus, ad disciplinam puerilem me reduxi. Dies incipio in digitis numerare. Quid unoquoque die fecerim, ego mihimet recito; inde comperio, quinam sit hodiernus dies. Tum volo mathematicas rationes retractare. Dixi me quattuor libros e navi avexisse. Unus erat precum sacrarum libellus, secundum normas Papales: alter erat de geographia: tertius nihil habebat nisi numeros ad usum navigandi digestos: quartus ipsam nautarum mathematicam tractabat. Hunc perlego libenter. Quippe non solum solitudine animum avertit, sed absolutius quiddam et sublimius subiecit cogitanti, ne semper de meis tantummodo curis satagerem.

87. Quaerere potest lector, qui factum sit, ut ego, patre invito navigans, nauticam mathematicam edidicerim. Videlicet, admodum iuvenis Londinium petii, navem anquisiturus, in qua peregre irem. Magna mihi tunc illa felicitas videbatur, quod humanissimo cuidam viro, navis magistro, incidi, in Guineam navigaturo. Is me clementissime exceptum, pro suo sodale habuit;

persuasitque ut, quantam maximam possem conquirere pecuniam, hanc commutarem idonea merce qualem ipse admonebat, et apud se collocarem. Ego igitur quasdam ex amicis pecunias rogabam, hique, exorata matre mea, fortasse etiam patre, quadraginta libras Anglicas ad me remiserunt. Eas autem magister optimus sic administravit, ut, ex Africa demum reversus, mercem quam rettuli, nempe aureum pulverem, Londini trecentis libris Anglicis mutaverim. Porro (quod eram lectori demonstraturus) ipso in cursu, cum benevolentia vere paterna, omnia quae navis magistrum scire oporteret, diligentissime me docebat, praesertim astrologicorum praecepta, viasque caelum servandi. Ego sane, tanta caritate delenitus, summa industria haec in studia incubui, rediique ex hac expeditione magnopere auctus mentis vi, sive ad navigationem, sive ad mercaturam. Atqui - o meam maximam calamitatem! - amicus ille summus meus atque alter pater, morbo vehemente correptus, decessit subito. Huius me tenera subit memoria, dum praecepta mathematicorum retracto, dum stellam polarem observo, locique latitudinem (quam appellant astrologi) colligo; item dum noctibus singulis omnium horologiorum libramenta convoluta intendo.

88. In animo imprimis erat, ut Christiano more septimum quemque diem quodammodo religiose observarem; enimvero mecum constituebam septenorum dierum opera. Sic (credebam) temporis computationem eram servaturus. Mox vidi fore ut multa me prohiberent ullam praefinitam laborum rotam persequi; necnon sine religiosa contione res nihili mihi erat dies Dominicus: itaque ad aliam rationem me propere converti. Novae lunae observantur facillime et paene necessario. Navis fracta erat nocte proxima post novam lunam: quando altera advenit nova luna, decrevi mecum, atque unum defodi stipitem propter mensem lunarem. Postea

elegantius res administrandas censeo. Paxillos praeparo tredecim modicos et compares, gemens identidem si universum annum hic mihi degendum erit. In assi idoneae magnitudinis tredecim foramina terebro, illis paxillis accommodata. Quoties redit nova luna, paxillum sollemniter infigo. Post lunam terdecies novatam, cunctos extraho paxillos, grandius terebro foramen et grandiorem insero palum. Hic pro anno lunari valet. Mox procedente luna, menstruos paxillos alium post alium restituo. His constitutis, nova quavis luna poteram computando affirmare, quinam esset ille dies secundum Europaeas temporis rationes.

CAPUT QUARTUM

89. Iam ad res convehendas trahulam decerno parare: nam rei fabrilis non eram imperitus. Hanc profecto artem in Brasilia magnopere exercebam, cum propter varios usus, tum quia ipse me animus excitabat. Fabrilis nempe opera valde fuit necessaria nobis, nec servis nigritis satis bene cognita. Faber noster lignarius, bonus ille quidem vir, malleo fortiter feriebat, serra patienter laborabat: sed accurate metiri, coarctare commissuras, immo, rectam lineam ducere, vix calluit; nedum designare opus. Si novam quandam casam vel officinam struere oportebat, praepropera eius industria absurdissimique errores angebant me. Itaque hunc dum paro docere, ipse artem disco. Mathematica mea scientia qualicumque adiutus, poteram sane plura animo moliri, in charta describere, constituere, computare. Mox ipsis ferramentis manu prehensis, delineabam, dissecabam, runcinabam; nihil quod lignarii fabri est, intentatum relinquo.

90. Iamque, ut dicebam, ad confingendam trahulam me converto, quae et per arenas et super leviorem rupium superficiem facile currat. Dolio quodam ligneo, quod perfractum erat, detraho circulos ferreos. Hos, velut calceos, trabibus duobus brevibus paribusque, leniter curvatis, subicio. Supra, simplicissimum constituo currum, in quo vehatur onus viribus meis tractu non nimium. Restim addo, atque finitum est opus. Quoniam in recessu aestus continuus erat arenae margo a praesepi meo usque ad portum, hac via, quaecumque vellem, in animo erat trahere: nec iam manibus humerisve portabam. Postea domum ipsam curatius digero atque excolo.

91. Conclavia vero habui nulla; plura quidem saepta, siquidem unaquaeque caverna, seu locus cameratus, erat

pro saepto. Principale saeptum meum ipsius erat cubiculum, de cuius munimentis erit dicendum: dein penaria, pro cibo qualicumque: tertium culina; tum, fumarium; deinceps armamentarium sive fabrica; sextum erat museum. In museo libros, horologia, astrologicam supellectilem, libram trutinariam, materiam omnem scriptoriam repono, cum sella e tribus quas habebam optima. Harum rerum aliquot cum pecunia in cistis erant: mensam postea confeci. Septimum saeptum continere debebat ignis materiem; lignarium appellabam. Octavum pro fructuario cedebat. Novum pro haedi stabulo destinabam. Decimum ac remotissimum nitrati erat pulveris repositorium.

92. Cubiculum autem tale fuit. Angusta ac celsa fenestra intrabatur, cuius limen quinque pedes ab externo solo, duos ab interno aestimaverim. Alteram intus habebat fenestram, per quam aura flabat salubris: hanc tamen, prae multa mea cautione, transenna protexi. De vallanda externa fenestra cogitaveram; sed arboreum meum opus imitari, in saxo nimis difficile videbatur. Plures portarum formas considero, mox reicio. Puteum potius volo sub fenestra fodere, quem ipse scalis transeam, dein scalas intus ad me retraham.

93. Navales scalae meri erant gradus lignei, firmiter constricti funibus, qui pondus hominis tuto sustentabant. In navis latere septem amplius dependebant pedes. Latera nunc his adiungo lignea, tantummodo ut rigorem, non ut robur addam; nam funium robur sufficiebat; sed quia flexiles erant, id hic erat incommodum. Scalae sic refectae octo pedum habebant longitudinem.

94. Deinde ligones recognosco cunctos, et marras bifurcas trifidasque, si quid horum possit cuniculariae hastae vicem gerere; solum enim calcarium robusto

egebat ferramento. Talia inveni instrumenta, quorum ope puteum, brevem sane, defodi sub ipsa fenestra, duos tantum pedes altum, sed quattuor amplius a rupe exstantem. Vecte ferreo, quamquam non acuto, graviora saxa amolitus sum, postquam initia penetrandi facta sunt. Tum hoc puteo adeo protectus videbar, ut ne a pardo quidem foret metuendum.

95. Illud enim me confirmabat, quod feles ferae quae non naribus confisae venantur, numquam possent coniectare, quid in meo cubiculo dormiret. Ego vero interdum serpentes quoque formidabam: sed numquam ne unum quidem anguem, magnum parvumve, mea in insula vidi; quae, velut Hibernia, sancti Patricii benedictione videbatur frui. Stelliones erant in cavernis, quos fovebam, quia muscas insectaque comedunt: et sane facile mansuescebant.

96. Si ligonibus res non cessisset, fodinam paratus eram nitrato pulvere displodere. Praetermisi narrare, me, postquam dolium pulveris nitrati aqua marina corrupti deportavi, intus crustam invenisse duram, intra quam pulvis siccus erat et plane incolumis. Crustam malleo comminutam reservavi, et pro experimento, vel lusus causa, aliquoties in pyrotechnicam adhibueram, diffisus posse in aliquam utilitatem converti. Postea credebam rudera haec nitrata ad fodinas displodendas esse accommodata: igitur asservavi, si forte usus veniret.

97. Pulvere nitrato eram profecto assuetissimus, de qua re libet amplius explicare lectori. Etenim dum degebam in Brasilia, maximo studio missilis plumbi dirigendi peritiam colebam. Nec sane unquam huius exercitationis fueram alienus; sed neque patriam circa urbem, neque super mari opportunitates eam excolendi reppereram. Attamen in Brasilia, rure aperto, ingentibus silvis, ubi

prodigiosa insectorum vis mirificam avium quoque copiam in aeternum praestat, si quis sub sole potest esse agilis, ad aves venandas ipso attrahitur agro. Primo habebam ignipultam quandam a domino meo Maurusio dereptam; mox meliores quaesivi, imprimis ex Lusitania. Postea Helvetici cuiusdam viri, qui Romae mercenariorum militum praefectus fuerat, ignipultas duas vel optimas forte potui emere, unam duorum tuborum; quas quidem huius filius, post patris mortem illatenus evagatus, inter alias res vendidit. Equidem ad tela illa probanda in scopum aliquando collineabam: sed quia valde incertus erat a longinquo iactus, plures ac minores uno in tubo conferciebam glandes, quae, per aera dispersae, latius ferirent. Furca item bitubam illam sustentabam, propter certiorem ictum. Et quoniam grandiores illic abundabant alites, ut vulturius, ut ferus olor, ut grues atque ardeae nostris diversae, - nec deest struthio quidam - hos quoque pilulis olorinis petebam, iaculandique omnino peritissimus evasi. Pro caecitatem hominum! quippe nesciebam quantum in solitaria insula haec mihi ars esset profutura.

98. Simul ac cubiculum satis firmaveram, volui illuc commigrare, cunctis cum animalibus meis. Haedulea paululum clauda erat, id quod non dolebam: tanto minus erat me effugitura. At vero tres iam mihi erant haedi, de quo narrandum erit. Ceterum falcato gladio quidquid idoneum videbatur herbarum aut frondium demetebam et convehebam ad cavernas: multum sane soli expositum siccatumque recondidi. Haedos omnes suo in stabulo composui.

99. De novis haedis incipit narratiuncula. Trahula iam mea adiutus, cupidinem admiseram venandi iterum, ne cani felibusque caro deforet. Trahulam per clivos clementiores sursum traxi super molli brevique herba,

XL

ignipultam in trahula habens. Canem non potui retinere, quin lepusculos venaretur: is prorsus evanuit. Ego ut primum in scopulosum deveni iter, trahulam omitto, inter saxa serpo. Emergens capram conspicor cum haedis ad stagnum herboso in pratulo. Non me fugerunt, neque demonstrabant metum. Decerpo gramina, accedo propius et porrigo. Haedi accurrunt, libenterque rodunt. Ego cornua eorum resticulis cingo, et laqueis brachio meo adnecto. Iterum iterumque decerpo gramen, studeoque mansuefacere. Accurrit mater capra, grandis et robusta; haec quoque e manu mea comedit. Paenitebat me, quod voluissem tam cicurem animantem occidere; nunc robustiore eam adnecto reste. Sed ut primum vi se tractam sentit, violenter retorto capite manu se mea abripit, et priusquam me possim recolligere, cum reste effugit. Exiguo temporis intervallo convertitur. Haedos mecum videt, et directo cursu summo cum furore me petit. Magnum equidem sensi esse periculum, nam et cornu incurrentis et ipse impetus letalis esse poterat. Coactus me tueri, demittor in dextrum genu, ne deerrem, ignipultam constantissime dirigens. Vix quindecim distabat pedes, atque ego ignem emitto. Quamquam capite et collo transverberata, plures gressus illo impetu evecta est, titubansque ad dextram meam procubuit emortua.

100. Obstupescebam, incertus quid facerem. Mox capram libuit omittere, haedos attinere: nec longa erat ad praesepe via, per ardua descendenti. Gramina etiam atque etiam decerpsi recondidique in sacculum; et siquando male sequerentur haedi, gramen ante ora ostentans, alliciebam. Hoc modo incolumes deduxi, gaudens praesertim quod mas et femina erant. Paxillis celeriter prope claudam haeduleam advenas depango, suggero gramina; tum festino, matrem reportaturus. Regressus, trahulam coactus sum per asperiora loca, ut

possem, subducere, dum mortuam assequor, quam aegre in trahulam compono; dein satis laboriose hanc cum ignipulta per saxosa loca deduco, mox facilius super clivis herbosis. Illam, ut priorem, demergere in pelvi sive piscina volebam, sed spurcam credidi: quare nihil melius noveram, quam ut in praesens ramis frondosis corpus operirem: etenim ligo et pala non erant in promptu.

101. Iam de ferarum audentia reputans, intelligo homines hac in insula esse ignotos. Id multum me solatur; nam quantumvis solitudinem detrectabam, barbaros saevosque homines formidabam longe amplius. Porro si lepores avesque, aeque et capri, hominis metu vacant, si nunc haec animalia facile mansuefiant, stulte absterreri opinor. Itaque magis magisque pulveri nitrato parcendum decerno, et, quidquid ferarum posset, mansuefaciendum.

102. Etiam congerebam pabulum. Multas deportabam siliquas zea plenas, et dioscoreas aliasque radices; item cepe, bulbos, condimenta. Caprae secundae carnem partim siccaveram fumo, partim sale condiveram, nec iam de cibo eram sollicitus. Duas vias e cavernis ad summam rupem ligone ac vecte tutius iam munio; unam, qua primo illo mane, prospecta scapha, per praecipitia atque algas degressus sum; alteram ex portu praeter navale meum. In difficiliore loco stipites duos firmiter defossos fune connecto, quo audacius securiusque descendam; tum gradibus incisis, opus perficio.

103. In reportanda capra, trahulae me quodammodo paenitebat. In harenis quidem bene currebat, item per saxa levia gramine vestita; sed in feraci humo super spissis variisque herbis, inter admistos frutices, trahere quam portare difficilius fore sentio: ad dioscoreas, ad zeam, ad citros aliosque fructus convehendos peras sacculosque meosque humeros anteponi oportere

trahulae, nisi meliorem potero munire viam: id quod me male habet. Igitur universam viciniam explorare cupio. - Dixi me ab excelso quodam colle prospectasse. Hoc colle inferior alter, qui cavernas meas fere ex adverso despiciebat, litoris aspectum superiori ademerat. Quum, ascensa rupe, in inferiori colle asto (quem Speculam meam nominavi), admirans gaudensque propiorem litoris oram contemplor. Ad dextram, id est, ad occidentem, fluminis video ostium, deinde portum meum, tum in fronte promunturium modicum. Contra autem ad sinistram, id est, ad orientem, inter humiles rupes ac mare, acclivis planities arboribus proceris mire luxuriabat, palmis praesertim. Supra, pone rupes, palus quaedam seu lacus angustus extenditur: rursus super hoc novus atque excelsior rupium ac saxorum ordo, unde pluvias credo in paludem colligi. In ora paludis viridissimas adverto herbas, plurimasque aves aquatiles.

104. Sed ego ad interiora me converto. Ab excelsiore illo colle arbores quasdam in cavo loco videram, non multas illas quidem. Iam explorans perspicio omnia praeter summas arbores abscondita mihi tunc fuisse, interiecto quodam inferiore grumo. Clivus ille montis quasi pelvi erat ingente excavatus, in quam multum aquarum ex scopulosa illa regione confluit. Hae, graminibus sustentatae, perpetuum sufficiebant rivum, qui in flumen, non longe a praesepi meo, decurrebat. Inde fuerat mihi primus ille dulcis aquae haustus. Hac in pelvi (nam proprium huius formae nomen nescio: - convallis non erat) consistebant arbores plurimae, Europaearum aspectum praeferentes. Amplius postea perscrutatus, repperi has non esse nostratium ad instar, tamen fructui lignoque utiles. Hunc locum appello Saltum meum.

105. Hinc poteram ligna devehere, sive ad fabriles usus sive ignis gratia, multo facilius quam a fluminis convalle.

Quippe grandis ramus vel ipse arboris truncus, tractus seu humi devolutus, ad rupem erat facile descensurus. Sic postea saepius rem gessi. Minora ligna, quae igni debebant inservire, ex summa rupe praecipitabam. Sed propter graviora, quae diffringi nolebam, robustam delegi arborem, ipsum ad marginem, unde magis praeceps erat rupes. Cursui tum devolventis ligni, fune circa huius stipitem contorto, moderor ac tempero, donec ad fundum pervenit. Sed haec post aliquot menses.

106. Quo melius intelligat lector mearum rerum statum, de situ insulae et varietate tempestatum quaedam sunt dicenda. Insulae latitudinem (quod geographi appellant) satis compertam habeo: poteram sane in stella polari observanda errare, sed non multum: gradus, credo, habebat duodecim (12o) ab aequinoctiali circulo, septemtriones versus. De longitudine nihil pro certo confirmare ausim: arbitror tamen atque autumo eandem esse atque insulae quam Portum Opulentum (Puerto Rico) appellant Hispani. Nostris vero in chartis nihil omnino hic denotabatur: porro quaenam sit meae insulae longitudo geographica, minime nunc refert. Propter tempestatum notitiam satis est tenere, bis in anno solem super verticem insurgere, ultimo fere Aprilis die, sextoque fere Sextilis. Intra hos continuatur aestas, quae tamen imbribus satis violentis dividitur. Imber quotidianus ac modicus fere ad finem Iunii mensis cadit, sed ipso in fine est sane immodicus. Post hoc siccitas et calor subsequitur. Maximos autem calores in tertia fere parte huius aestatis pono; vel, si ad amussim denotandum est, triginta sex dies ad Idibus Quintilibus perdurat aestuosum tempus. Hos intra dies rarior est pluvia. Quiescit ventus triduum vel quadriduum; tum vespertinus turbo sane violentus, attamen gratissimus, aera recreat. Hic rerum ordo fervoribus moderatur, longo mense amplius. Tandem summa aestas disturbatur et

quasi convellitur horrendis et pervicacissimis turbinibus, seriori in parte Sextilis. Hinc procellosum illud mare, quod nostram abripuit navem. In Februario item mense debent exspectari procellae; sed neque harum tempus praefiniri potest neque violentia compares sunt aestivis. In tempestate procellosa abundant fulgura, post quae frigus ossa penetrat. Sed haec frigora si excipias, iucundissima est aeris temperies. Pluvia ut plurimum cadit tenuis ac dulcissima tres vel quattuor horas unoquoque mane per plures anni menses. Nisi per tonitrua, veste ad defendendum frigus non opus est, sed contra solem vestiendus es. Attamen post nimium fulgur Caurus ventus plures per dies mirum frigus incutit, sed semper citra gelu. Nec calores conqueror. Lusitanum vel Anglum hominem equidem credo, si neque temetum imbibat et carne parcissime vescatur (id ipsum apud Mauros didici), totum per annum posse laborare salubriter, modo per maximos fervores prudentiam adhibeat. In hieme certe (id est, dum sol a meridie stat) si nimium exuaris vestimentorum onus, ipsis in Anglia Anglis ad laborem par eris. Spirante Cauro post fulgura, lacerna, ac spissa quidem, carere neutiquam potui: ignem aliquoties fovebam, sed raro.

107. Ego autem quodam die quum pluvia mature destiterat, cymbam ingredior remigoque non sine timore circum illud promunturium quod caeruleam terminat rupem. Plurimas palmas video, quas credidi eius esse pretiosissimi generis, quod vulgo Nux Cocus appellatur. Multae aliae arbores fruticesque mihi ignoti illic stabant, sed ipse litoris acervus Portum meum referebat. Tantum omnia hic ampliora atque uberiora. De alga saepius memoravi. Aliud nomen non succurrit; etenim nostratibus viris res ipsa ignota est. Hic denoto, algas illas, ut plurimum, non marinas fuisse, sed maritimas, ultra summum aestus terminum. Hi reptantes erant

frutices, diversi generis; hibiscos, acanthos, coniectura dixerim. Sane erant pulcherrimi, puris distincti foliorum ac florum coloribus.

108. Deambulo in litore, cocos admiror: multum cogito ac vescor spe. Subito memini remos vel optimos e coci trunco fieri, scaphamque meam remis carere. Securim mecum habui. Unam e minimis cocis statim exscindo atque obtrunco. Caput huius in cymbam congero, ipsam destino fune trahendam. Sed quum volo redire, aestus recessus me impedit: nam circa promunturium, ubi fuerat mare, nunc saxa longius excurrebant, quae metuo circumire, ne in profluentem aliquam marinam implicer. Tandem super saxis ingrediens, flexuosum reperio iter aquae, in quo cymba natare possit. Hanc traho, saxis ipse insiliens. Postea truncum illum super humeris asporto per eandem viam; mox, cymbam ingressus, me atque mea omnia domum laetus reporto.

CAPUT QUINTUM

109. Pluvia quoties caderet, intus me abdidi, et in excolenda domo satis habui operis. Armamentarium meum praesertim cum exultatione cordis aspiciebam. Arma igniaria cuncta, rite emundata, perfricata oleo, hamis ad muros suspendi. Mensam fabrilem suo in loco constitui; iuxta hanc, repositorium fabrile: in angulo, ferramenta agrestia. Quotidie suum quidque in locum severissime repono, experientia doctus sic facillime quidque inveniri, ubi festinato opus est.

110. Porro in penaria ac culina multa ordinavi. Scalas quas ad cubiculum intrandum adhibebam, compagi cuidam ligneae per hamos annulosque sic annexui, ut, super his astans, carnem supra procul felibus suspensam possem attingere; possem quoque disiungere scalas, quoties vellem. Quando memet obiurgo propter nimiam carnis cupidinem, respondeo, me ipsis felibus consulere, ne suum ipsae cibatum deperdant. In penariam cellam dolia item atque arcas plures collocavi: alias quidem in fructuario meo. Ceterum pro culina sumpseram eiusmodi cavernam, cuius in angulo erat quasi focus naturalis. Rimam quandam vidi, per quam fumus exire poterat: hanc ferreo vecte amplio. Porro foramen maius effodio supra, ne fumus per culinam vagaretur. Exibat autem in alteram minorem cavernam, quam pro fumario destinabam. Hic carnem suspendo, siquam induratam velim. Tum fumus, hoc modo diffusus, minus erat me proditurus: nam velut nebula in rupe poterat videri. In lignario autem meo, quidquid ligni ex nave deportaveram, et quidquid materiem ignis habebat, illud omne reponebam. Vela quoque huc deposui, sed parum contentus loco.

111. De corpore curando quaedam si narrem, ignoscet lector. Quae sequuntur, plures ad menses, immo annos, pertinent. Dixi me sub aqua marina, post tertium in insula diem, vestes immundas lapillis oppressisse. Postea reputabam, - si vel saponem haberem, operae non fore pretium has nostro more in splendorem recolere. Spurcitiem vestimentorum non e colore consistere, atra essent an candida, sed e cutis excremento, quod quidem salsa maris aqua optime amoveretur: manibus autem ac sapone fricatas, deteri vestes. Quapropter has ipsas, sole siccatas, iterum postea induebar. Deinde etiam simpliciorem excogitavi viam. Postquam expertus sum, vespertina natatio quantum reficeret corpus, decerno, sub solis occasum unoquoque vespere, ipsa in tunica, cum feminalibus linteis ac tibialibus (id est, tegumentis crurum gossipinis) denatare in portu meo. Egressus aqua, exuor vestimenta, contorqueo manibus, suspendo, alia induor. Illa altera mane sicca invenio. Itaque recente semper vestitu pernoctor. Sane per summas pluvias aegerrime siccabantur res: tali in tempestate madidas vestes in culina suspendebam.

112. Praeterea, cuti fricandae do operam, neque caesariem prorsus negligo. Sciebam enim, inter barbaros, si qua sit gens sanitate, proceritate, decore corporis insignis, hanc praesertim cuti curandae semper dedi; sin autem me illuviei permisero, in nullam non spurcitiem posse delabi. Equidem e nave meas habebam mappas atque mantelia cum sudariis. Mappae detergendae corpori nimium leves erant; mox in caloribus has adhibui ad genas protegendas, Arabum Scenitarum more. Mantelia, ut quae villosa maxime, dum durabant, prae ceteris approbabam. - In capillorum supellectile nihil egomet habueram, praeter unum pectinem atque unam scopulam saetosam; sed totidem, quae magistri navis erant, avexi, pluresque nautarum pectines. Nautis

scopulae nullae erant. Scopulas equidem magni aestimabam; nam diffisus sum posse reparari. Barbae, ipsa in nave, semper promittebantur; nec in mea insula me radebam, quamquam haberem novaculas; sed forfice identidem tondebam leviter aut capillos aut barbam.

113. In tempestate procellosa, praesertim post fulgura, propter frigus Cauri, quoties desisterem ab opere, lacernam induebar, nec spernebam ignis solatium. Sed tum maxime poteram laborare. Nova gramina aut radices aut viridem zeam, optima caule meliorem, aut ligna reportabam; porro utrumque tramitem quo in summam rupem evadebam, comparabam in melius. Quippe rubram super rupem sperabam fore ut trahula tandem subiret. Quodam die imber superveniens infulam capitis meam humore saturavit, et, tergo profuse madido, Caurus ventus acerrimum mihi frigoris sensum incussit. Domus cucurri magis quam incessi, mutatisque vestimentis deliberabam. Serica mea umbella e nave in promptu erat; sed ubi manus esse deberent liberae, hac uti non possem. Inter pluvias nimium sensi solis fervorem, nec infula potui carere. Hic omnia narrabo quae excogitavi, quamquam plures per menses.

114. Caprarum pelles servaveram. Sane molles erant et delicatae. Harum lacinias duas commoda magnitudine abscidi, quae pro cucullo forent. Iunxi supra, a fronte usque ad occiput; inde per cervices defluere permisi. Ipsa in dorsi spina duplices cadebant, contra pluviam solemve umbraculum. Caput atque adeo infulam comprehendebant arcte. Quoniam femineae quas habebam acus tenues nimis erant fragilesque, idcirco sarcinarias adhibebam acus cum tenuissimis funiculis: his satis bene consuebam. Sed depsere volo internam cutem, quod quidem artificium parum cognoveram. Ego autem cinchonam aqua decoxi lento igne, ut aquae

remaneret quam minimum, quam maxima autem foret eius potentia. Mox infudi in ferreum artillatoris ferculum; superpono pellem, ut interior pars imbibat cinchonam. Post biduum, longulo ac levi lapide, quem pro magide aestimabam, oleum pice imbutum imprimo atque infrico in pellem: iamque pro depsta accipiebam.

115. Etiam summis in caloribus vix sufficiebat tunica, nam contra insecta tibialibus erat opus. Sed dorsi quoque tegumento carere nequaquam conveniebat; id quoque probe sciunt Lusitani. Atque erat mihi sagulum Lusitanum vel optimum, nisi quod prope nigrum calorem radios solis imbiberet: quare aut albis testis marinis aut spinis fortasse hystriceis vellem sane dorsum obtexere. Iam, quoties humeris quidpiam portandum erat saltem asperum ac grave, suffarcinamentum desiderabam, ne excoriarentur ossa. Intellexi spissa tegete esse opus, quae humeros, si onus portarem, defenderet; porro solem pluviamque repelleret, nec imbiberet calorem.

116. Tale tegumentum demum contexui, postquam iuncos cannasque insulae paulo melius cognitos haberem; neque ullo vestimento gloriatius sum magis. Contra calores superficiem tegetis madefaciebam: inde frigus gratissimum me recreabat. Item mappas ac lintea quantum possem reservans, roscidis foliis callide obvolutis amicior caput, unaque deligo fascia sive taenia. Quoties ex laboribus ac calorem requiescerem in umbra, poteram, detracta infula, crines madefacere: tum vero assumebam cingulum, ne in viscera admitterem frigus. Sic caput frigidulum erat, corpus tepidum.

117. Scapham autem, mense Decembri nondum finito, gestio instruere. Coci truncum, quem deportaveram, cortice exuta, difficulter sane secundum longitudinem dissecaveram serra, et in remorum formam magis

magisque caedebam. Etenim cymbae remi tamquam pro exemplare prostabant. Ad remigandam quidem scapham sex homines cum sex remis adhibebamus, quattuor ad minimum. Ego, unus homo, duos ingentes remos moliens, nihil possem contra fluctus vel contra profluentem maris facere: attamen restagnante mari ac vento, unus prope debilis remex aliquantum usui foret.

118. Circa Kalendas Ianuarias serenissima tempestate malo veloque scapham instruxi. Ancoram eius cum ancorali atque illa arca, item tollenonis ferramenta, iamdudum ex arenis recuperaveram. In portu saepius exercebam tum vela, tum remos; hosque in melius figurabam. Quorsum haec, nesciebam equidem: enimvero nisi perquam levi aura non auderem exitum; sed in scapha videbar quasi novam quandam tenere vim, necnon ipsam navigandi artem inani amore fovebam. Mox operae, quam prius in scapha navaveram, diffisus, iterum carinam sarsi. Ubicumque rimas metuo, argillam pice oblitam firmissime infercio, donec omnia viderentur tutissima.

119. At marinas profluentes, si quae essent requiescente vento, volebam propter scaphae salutem cognoscere. Has ut explorarem, clementissimo sub vento, ulterius meridiem versus in cymba processi. Ecce autem, quando duo amplius milia eram a terra, iugum montium longe altius quam excelsus ille collis a quo ter, quater prospexeram. Ab hoc monte terram opinabar sensim desidere usque ad hortos meos. Iam video, si insulam ac maria recte prospectare vellem, montem illum esse conscendendum; idque meditor. Postea recordor, me ipso a monte eundem vidisse montem, sed tantam esse eius altitudinem tunc non suspicatum.

120. Quamquam neque mites vellem feras timore mei implere, neque prodigere nitratum pulverem, decerno tamen exercendam esse iaculandi artem, ne obliviscar, neve ipsa arma robigine corrumpantur. Versicolores quidem aves, quales fere inveniebam, vix me fugiebant; sed aquaticae quaedam volucres, nostris non valde dissimiles, omni astutia ac metu evadebant me. Has credidi advenas esse, assuetasque hominibus: praecipuam earum sedem postea conspicatus sum. Ego autem has pro cibo ac propter teli exercitatione occido. Anates erant, anseres, olores, plumis formisque non omnino nostrarum ad instar, porro plurium inter se generum. Has, ut plurimum, plumbulis in ora tantum maritima petebam, ne teli fragor ceteras terreret feras: canis autem, sive in terram sive in aquam deciderent, acerrime eas reportabat. Si protinus comedere non placeret, nec egerem quo canem pascerem, in fumario suspendebam. Quippe fumus et maturabat carnem et putredinem avertebat. Assae potius quam aqua coctae mihi placebant; sed carbonem, Anglorum more, alte exstruere nequivi. Supra ignem assare necesse erat: quare alitem, membratim concisum, filis ferreis, tamquam verubus, traiectum, vivas supra prunas amburebam.

121. Eodem fere tempore columbas quasdam facillime nanciscor. Dum colle regredior obambulans, alarum stridorem audio: mox conversus volatum quasi columbarum agnosco. Hae aves in cavum saxi locum se recepere, quem oculis facile notavi, credidique me posse illuc ascendere. Postquam cuncta coniectando emensus sum, virgam arboris abscissam pro signo terrae infigo: tum domum redeo meditans. Quantum possum celerrime columbariam cellam, perlevem illam quidem, compingo: hanc humero portans eundem locum repeto, post biduum. Virga illa eminens fit index; saxum ascendo, pluresque

in cavis invenio nidos, quibus ova nondum inerant.
Unum nidum in columbariam cellam meam transfero;
mox advolavit columba intravitque cellam nidum
repetens. Id gaudeo et relinquo cellam. Post plures dies
reversus avem nido insidentem invenio: quam ipsa cum
cella motu clementissimo reporto domum; atque illa
intrepida manebat. Coniux postea subsecutus est:
ambobus, ut poteram, quotidie dabam cibatum. Postea
turriculam confeci columbariam, columnae innixam,
securitatis ergo: nec pullos volebam mactare, sed in
spem amplioris prolis reservabam.

122. Cibi quidem satis superque mihi erant, si modo
convehere possem. Sed quo magis ruminor, laborem
deportandorum fructuum horreo magis. Haedos in
praesepe reduxeram, ne graminibus quoque congerendis
defatigarer; tamen illa in convalle depressa oneribus
gravabar, neque trahulam poteram adhibere, propter
novarum herbarum luxuria. De tractoriis iumentis paene
desperavi, videbarque in servitutem laboriosissimam
devotus; sin requiem capto, protinus mens fiebat
miserior.

123. Accedebat quod calceamentis deficiebar. Nautae
super navem aut nudis pedibus aut tenuissimis soleis
agebant. Caligas ego et magister navis habebamus, sed
ego magnitudine pedum superabam. Porro saepius ex
necessitate mare ingredienti, corium caligarum se
contraxerat. Ego autem post tres laboriosos dies, pedibus
aeger nolebam exire. Omnium rerum me taedebat. Nova
luna iam intraverat. Assim ego quadratam coepi incidere,
inscriptionem quasi sepulcri designans. Talis erat:

REBILIUS CRUSO

Anglorum civis,
Maurorum captivus,
Brasiliensis colonus,
Hic naufragus solitarius,
Hominum miserrimus,
Quintum iam mensem
enecor.

Illud iteravi ter quaterque, hominum miserrimus. At subito vocem quandam sensi, non auribus, sed corde: "Tune omnium miserrimus? Tu, qui summa pace frueris, in pulcherrima uberrimaque insula, sano validoque corpore! At ne te Deus Mauris iterum praedam proiciat vel morbo feriat!"

124. Cohorrui. Tum reputabam: "Anne hoc illud est, quod vates sacri summa in solitudine afflatum Dei quaerebant? Numne igitur me quoque intrat ille afflatus?" Mire profecto agitabar. Dein memet increpui: "O fatue Rebili, sanae non es mentis. Imaginaria sapientia veraque deliratione capieris, si divinam credes te audire vocem." Protinus velut demortuus hominibus, vivus necessarie coram Creatore meo, mira quadam ac nova audentia illum compellabam, et quasi votum concipio. "O Supreme! Quisquis es (inquam), nimius tu es mihi: pavesco fanaticam dementiam. Sed dulcem redde hominum aspectum; tum prudentius te cognovero, plenius venerabor." Post haec tranquillior fiebam: sed

periculosa esse sensi intervalla industriae, nisi oblectatione aliqua solarer. Quare pictam avem psittacum, si possim, capere ac mansuefacere decerno, si forte mecum colloquatur. De macaco cogitaveram; sed timui has bestias, ne maligno forent ingenio: sane aliorum generum alii sunt mores: itaque hoc consilium deposui.

125. Mox lepores quoque volo capere. Quippe saepius captaveram, neque ars mea processerat. Lepores illi (seu rectius cuniculi: ita credo: sed quia caro leporem potius referebat, idcirco ex prima illa nocte lepores semper appellaveram;) attamen gallinarum domesticarum more se gerebant. Quam proxime sinebant me adire, tangere non sinebant; sed in cava terrae prorumpentes, inde me intuebantur. Laqueos instruxeram plures, sed frustra: iam piscando experiendum esse arbitror. Super nave flagra aliquot robusta erant, quae (nam fatendum est) ad flagellandos nigritas comportabamus, si ratio tulisset. Horum tria offenderam, avexique propter lororum usus. Nunc unius in fine hamum piscatorium grandiorem affigo.

126. Virgam quoque praeparo tamquam piscatoriam, sed breviorem, resticula instructam: huic fasciculum tenerarum herbarum adnecto. Tres sacculos super humeros portans cum virga flagroque, leporum adeo locos. Sinistra fasciculum iactans, ad ludum allicio. Post paulum lepus incipit, ut felium catuli, persequi fasciculi cursum ac gramina eius subinde rodere. Flagrum ego dextra tenens, opportunitatem rei gerendae opperior, subitoque proiecto hamo, super cauda leporem opprimo. Confestim arreptum attineo, sacculoque immersum. Tantos ille ciet strepitus, ut ceteri accurrant mirabundi; dumque obstupescunt, alterum verbere hami assequor. Animadverto marem esse ac feminam; quare satis habeo,

laetusque deveho praedam. Sub rupe ubi cava loca abundabant, credo non male habitaturos; postea ad mansuefaciendos operam adhibui.

126 De calceamentis pauca sunt explicanda. Quoniam labascebant omnia caligarum coria, sensi validiore esse opus tegumento pedum: idque iuncis ac lenta quadam cortice plicatis concinnavi. E iuncis, quos diversi generis plurimos in sole siccaveram, eos deligo qui lenti simul et relucentes viderentur: nam quidquid reluceret, id cannarum more pluvias optime reiecturum credidi. Ex his plicavi marsupium, cuius formam erat pedis instar a convexo ad calcem praecisi. Dein e corticibus, quas maceraveram, lora plicavi, lata minus duos digitos. Veterum caligarum fundum vel soleam sub marsupio illo positum, dum pes meus inerat, loris illis circumligavi, nodavique super talo. Rudis sane hic calceus erat, attamen aliquatenus certe pedem protexit vulneribus. Non absurdum erit hic dicere, me ipsa in Brasilia contra insecta saepe Persicos gestasse socculos, e tapete factos. Per hos non possunt culices mordere, sed spinae sentesque facile penetrant.

CAPUT SEXTUM

127. Circa Idus Ianuarias ad montem explorandum accingor. Lacernam capio cibumque, si forte pernoctari opus sit. Mollissimos induor calceos: prospeculum adnecto balteo. Adsumo canem. Sed ante exortum solem educo haedos, et (quod moris mei erat) commodo in loco paxillis destino. Tum ex convalle dextrorsum surgens iuxta aquam desilientem pergo, saltum versus meum. Sed ascendo iugum, quo latius prospectem, saltumque subtus in laeva facio. Modica erat acclivitas, sed continua. Sub solea mihi breve erat gramen, - molle, frigidulum, non impediens. Quo magis insurgebam, largior erat aura ac plena vigoris. Facile libereque incedebam. Dextra, caprorum video scopulos ac pascua; sed ad sinistram magno flexu redeo, dein convallem fluminis notam attineo supra, moxque hortos meos. Hos simul ac praeteriveram, sinistrorsum leni deflexu contendebam, incepique ipsum montem oblique ascendere. Iamque intellexi, longe facilius hoc cursu quamvis longo hortos adiri; nam propter auras montanas, siccius solum, breviores herbas, non modo non defessus, immo recreatus sum itinere. Ubi aquula quaedam a monte desilit, canis incipit lambere. Sic monitus, cibis communicatis, vescor biboque.

128. Ut primum monte de summo prospexi, praegestiens cuncta admiror. Valde praeceps erat mons occidentem ac septemtriones versus, id est, ad mare. Ipsa aetheris claritas extentusque Oceanus pulcherrima erant. At ego propius circumspecto alterum in latus, unde clementissime surgebat tanta altitudo, illam vallem lustraturus in qua superne horti erant mei. Penitus despicere nequivi, sed per oppositos clivos cursum eius usque ad mare indago. Aestus tunc quam maxime recesserat; laetus tamen animadverto rivum se in mare

effundentem, duosque quasi huius tributarios de diversis ripis rivulos, quorum utervis scapham meam possit excipere. Per prospeculum dispiciens, facile vidi palmas astare praegrandes ostium rivi versus et paene ad oram maris. Postquam illac satiavi oculos, conversus in aliam terrae regionem aspecto. Vasta hic subiecta est silva usque ad ultimum insulae litus. Declivitas modica erat, nec continua: quindecim milia silvae ad minimum haec aestimabam. Ne prospeculi quidem ope ultimarum poteram arborum naturam cognoscere, ceterum proximae ultimaeque valde erant dissimiles. Ad Aquilones Iuga Caprina (sic enim nominabam) scaenam concludebant, sed mare supereminebat.

129. Haec dum commeditor, prospectoque circumcirca, repente terram e longinquo videor videre meridiem versus. Dispicio, anne sit nebula. Etiam atque etiam contemplor: demum agnosco latissime porrectam terram, valde humilem, sed terram tamen. Primo me spe illud ac gaudio affecit. Continentem Americae meridianam esse pronuntio: mox fateor, nihil id ad me. Etenim talis regio solitudo est vastior, foedior, immanior longe quam haec est insula. Fac abesse barbaros homines pantherasque; at illic si forem, aut in latissima atque inhumana arena proicerer, aut (quod credo potius) in aggeribus silvosis maximi alicuius fluvii, inter paludes immensas atque insaluberrimos vapores. Sane haec insula prae continente illa tamquam Paradisus est.

130. Retorqueo oculos meum versus regnum, contentus, laetiorque; tum directa incipio via descendere, donec tota mihi vallis patet. Mox hortos meos considerans, frutices observo grossulariis non dissimiles, quibus propiores clivi distincti sunt. Hos versus dirigo gradum. Magis magisque uvidum invenio hoc latus iugi, velut spongiam; id quod rivum perennem promittit, herbis pluvialem

aquam multos per menses sustentantibus. Frutices autem illi in sicciore stabant ora, quamquam prope ad umida. Vites recognosco, et uvas credo posse sua in tempestate hinc deferri. Porro cruda mala citrea colligo plura limonasque ad delicias bibendi.

131. Regredior paulatim descendens, donec ad iuncturam vallium pertingo. At ipso in laevo vallis latere quasi viam naturalem caespite obductam conspicor, quae declivitate perquam modica saltum versus meum ducit. Per hanc libet digredi. Nusquam minus decem pedes lata erat. Supra ad laevam, infra ad dextram, clivus satis arduus erat, herbis multorum generum abundans, sed in fundo arboribus consitus densissimis. Agnovi protinus, facillime posse in trahula mea ex hortis hac via fructus ad rupes super cavernis devehi; nam caespes erat brevis, durissimo in solo atque (ut arbitrabar) calcario; iamque uno in conspectu prope tria milia viae huius patebant. Deambulans alacer, saltum tandem meum in laeva praetereo, mox desilientem illum rivulum assequor, videoque non posse trahulam sine ponte hac transire. Sed talem pontem non magni esse operis iudico.

132. Praeclarum sane videbatur huius diei iter. Laetus, atque idcirco liberalior, tritico atque hordeo Europaeo columbas largiter pasco. Has fruges in sacculis conditas e nave asportaveram, sed parvi aestimabam; nunc columbis largior. Neque umquam sane has aves neglexi, sed inter famulos reputans, plus minusve cibi impertiebam.

133. In universum aestimanti, tres partes natura diversas insula exhibebat, - fructiferam, sterilem, silvestrem. Sterilia ac sicca Caprinum opinor Iugum collesque vel grumos inde porrectos usque ad portum meum: ultra Iugum quidnam fuerit, nondum videram. Spatio longe

minimo fortasse erat fructifera; sed ubi tantae silvae, ibi fruges aliquando esse possent.

134. Equidem postquam sensi quanto cum labore radices esculentas e convalle humeris portem, placuit cymba devehere, si cum aestu maris flumen ascendere possem. Quodam die hos propter usus solito maturius illatenus ascenderam, ubi quaedam humo nascentia colligerem; tum, nisi contra aestum me defatigare vellem, duas fere horas erat considendum. Quare cymba transgressus flumen, regionem ex Occidente oppositam exploro. Ostium versus fluminis valde praeceps erat ripa, sed ubi aestus maris desinit, leniorem habebat clivum. Collis calcarius esse videbatur, alteri illi super cavernis meis simillimus.

135. Simul ac culmen attigi, mare versus omnia esse praecipitia intelligo. In brevibus herbis prostratus, caput ultra marginem rupis protendo, eiusque radices subtus video undis etiamnum lavari. Ulterius ad septemtriones surgebat mons insulae ille altissimus, quam exploraveram. Celeriter ea vidi quae maximi erant, redeoque properus.

136. Vix attingo cymbam, atque tres conspicor psittacos in ramis considentes. Flagrum arripio (id erat in cymba), item illico virgam decido. Concitatiore flagri verbere psittacum assequor, hamoque deprehendo. Rostrum eius metuens, sarmento oculos meos protegebam. Ille autem subito dolore territus, prorsus exuit fortitudinem, neque valde reluctabatur. Itaque sarmento, quod in laeva tenebam, caput eius opprimo, mox pede inculco sarmentum, expeditoque cultello unam plumam circumcido. Ne longus sim, funiculo attentum deveho domum, asperiore captura nihil gravius perpessum. Fune

pedem deligo, pertica ad insidendum data. Facilius id videbatur, quam caveam e cancellis facere.

137. Ego autem captivis leporibus consulens, dolium quoddam e perfractis transenna instruxeram: hic in cavo rupis degebant. Fimus caprinus, quem e stabulo egererem, in sicciore humo appositus, locos praeparabat in quibus caespites herbasque leporibus dilectas defoderem. Lepores summa cura pasco ac mansuefacio.

138. Sed in narratione mea paulum nunc regredi opus est. Ut me oblectarem, saepius librum sumebam; alias mathematicum illum, qui teneram curam primi mei atque optimi patroni revocabat; alias geographicum. Hinc quodam die de Indis edisco, quam prudenter feros elephantos mansuefaciant. Equidem de capris meis ad trahulam iungendis cogitaveram, sed nondum grandes erant: harum autem opperiri aetatem, longum videbatur. Iam, his perlectis, credidi, posse caprum ferum pariter ac ferum elephantum ad quamlibet aptari disciplinam, cuius quidem ipsius natura foret capax: cuncta in eo verti, ut feram in manu tenerem.

139. Re ponderata, demum egressus sum, certus depugnandi. Duas succingor pistolas, quibus me in extremis protegam; sed restibus laqueisque sum fretus. Laqueis duobus tribulos ferreos, si recte rem nomino, validissime annexueram. Tribuli autem tali erant natura, ut, hominis pede oppressi, trina spicula in solo defigerent. In reticulo herbas comportabam eas quas maxime deligebant capri. Canem domi constringo, atque sic armatus sedes peto caprinas. Plures ibi video capras atque haedos; mox caprum quendam grandem ac robustum contemplor (vix minor erat quam bonus asinus), qui viribus confisus seorsum agebat. Hunc adeo, herbas suavissimas porrigens.

140. Ille autem neque territus neque iratus, accedit roditque libenter. Herbas in humum proicio, dumque pascitur, laqueos cum tribulis super cornibus impono. Tribulum unum pede pressum humi infigo; dein, antequam sentiat, inculco alterum quoque, et sub pede attineo. Protinus gnarus se illigatum, in posterioribus cruribus se erigit, sursum capite nitens: ego autem tertio laqueo pedes eius primores involvo. In eo erat ut alterum extraheret tribulum, quando arcte constrictis primoribus pedibus, quos in aere habebat, ego asperrime trudens deicio eum in latus. Consido in armum, inculcans cornu. Ille autem sic depresso capite pedibusque correptis, onus violentissime detrectabat, sed nequibat excutere. Ego non invitus sino eum se defatigare calcitrantem, subulamque grandem ac lorum expedio.

141. Summa in tranquillitate labrum eius superius perfodio, atque insero lorum, quod anuli instar concinno, pluries nodatum. Tribulis novo in loco defixis, amplius paulo libertatis pedibus eius permitto, ut amplius se defatiget frustra connitendo. Tandem defessus, sudore perfusus, requiescit. Herbis in reticulum recollectis, surgo; convello tribulos, appendoque cervici eius; tum labro traho leniter. Is, dolore gemens, erexit se, invitusque sequebatur, pedibus etiamnum constrictis, sed non adducte.

142. Sic quinquaginta forsitan passus eum deduxi. Tum subito reluctabatur; sed dolore labri percitus, cornu me feriebat: id vero facile caveo, loro subtrahens; simul, iterum adducto laqueo, praepedio crura. Sane ille totus contremiscere, praeteritorum memor et posthac me sequitur oboedientissime: quod simul atque animadverto, porrigo herbas ante nares. Nolebat rodere, sed odorem libens captabat; iamque facile eum in saltum meum deduco. Ibi arbori firmiter alligatum fame paro

expugnare. Porro id nullius erat laboris; etenim postquam haedos iuxta affixeram, mixta crudelitate et clementia mox plenissime est domitus.

143. Explorato, posse feram sic subigi, post aliquot dies capram pariter aggressus, hanc quoque vel facilius deduxi. Duae haeduleae grandes ac paene adultae matrem ad praesepe volentes secutae sunt; tum nova veteri admista caterva cito maerere destitit. Itaque grex meus iam caprum habebat ac capram, item tres haedos duasque iuvencas capras. Ego vero cunctos incipio trahula consuefacere. Difficile sane est res gestas ordine stato narrare. Quippe perpetuo variabantur labores mei, neque umquam uno quasi nisu ullum opus perfeci, sed particulatim operabar, seu tempestate caeli motus, seu phantasia, vel subito aliquid recordans; et siquid parum bene valere crederem, reficiebam in melius. De piscatione mea mox sum dicturus. Sic, inter labores multos et otii paulum, praeteriere menses.

144. Circa Kalendas Apriles, ut credo, imber matutinus (de quo memoravi) largior et almior cecidit. Mirum inde vigorem nacta sunt omnia quae gignit humus, miramque ego ipse voluptatem percepi. Exspatiandum decerno. Ad speculam meam (de qua ante memoravi) enisus, progredior ut litus ad Orientem amplius cognoscerem. Duo milia fortasse passus processeram, quum viam quandam Lunatam video (si sic licet appellare), quae flexu continuo, acclivitate modica, ab ora maris palmarum feraci ad culmen huiusce regionis ducebat. Iam praeter oram maritimam duo numerabam promunturia duosque sinus: nunc Tertium hunc appello sinum.

145. Ceteris in rebus nihil novi exhibebatur, nisi quod arenae extendebantur latissimae. Pluribus has rebus

distinctas videbam. Expedito prospeculo, marinas dispicio testas, - immo testudines, - diversissimas magnitudine. Id quidem gaudeo. Porro hoc in sinu palmae ita dominabantur, ut vix quidquam aliud inter arbores desuper viderim. Paludes autem longiores in rupibus continuabantur supra palmas illas. Ut explorem cuncta propius, palude quadam non facile circuita, descendo ad oram maris. Tria palmarum genera agnosco, flecto sensim ad sinistram, demum Lunata illa via domum redeo.

146. Postea mecum excutiens, cur in portu meo cacti optime crescerent, palmarum nihil esset; colligo, quia paludes apud me super rupibus non sint, idcirco neque cocos neque alias palmas nasci.

147. Iam de grege quotidiana me incessit cura, ignarum quid sanitati necessarium foret, et quantus ac qualis huius aestatis calor. Multa feci, mox infecta reddidi; quae narrare non opus est. In saltu meo novum praesepe meditabar. Sed haedos non effugituros credo, retentis capro capraque; igitur solvo. Canis autem tunc mecum erat, ipsum ad saltum. Is, simul ut haedi excurrere in prata coeperunt, nova libertate gestientes, ipse ludi fit particeps: quippe collusorem diu non habuerat. Tum mihi aspectus sane erat iucundissimus.

148. Caper, immo capra, ut credo, brevi in curriculo plerosque canes venaticos superat, sed cani perdurat velocitas. Ipsae se haeduleae tam pernices ostendebant, ut non sine magna contentione canis eas praeverterit. Neque volebant effugere; nam iterum iterumque redibant. Ego vero omnium hilaritate exhilaratus, increpo memet, quod cicures animantes tam innocenti voluptate privaverim.

149. Capros hos dictito; attamen nequaquam erant nostratium caprorum ad normam. Antilopas equinos vel ὄρυγας fortasse quis illos appellaverit. Cervix horum carnosa et arcuata, armus amplus planusque, equum generosum referebat. Pellis brevissimo delicatissimoque villo sive lanugine, colore mustelino, vestiebatur; neque saeta inerat neque pilus, praeterquam in iuba atque in maris barba. Iuba fere tota in ipso sedit armo. Lacertosiores erant quam damae fulvae; fero potius cervo comparaverim. Cetera erant rotunda, bene compacta; crura autem gracilia, ex osse densissimo. Os frontis valde robustum credidi. Cornua non recurva, sed propiora taurinis; id quod arcuatae cervici credebam aptius. Caprae cornua divergebant aliquantum.

150. Antehac cunctos in trahula exercueram, sed sine pondere: pondus nudo dorso saepius imponebam: nunc capro capraeque quotidianum laborem adiudico, si recte possim apparare. Retinacula funalia trahulae adaptaveram, sed collare tractorium longe erat difficilius. Quidquid compegeram, rudius esse sensi: id enim erat agendum, ut ne pulmonem onus opprimeret. Vidi tamen armos cervicemque equinis esse tam comparia, ut si male res cessisset, artifex culpandus foret, non animal. Nihilominus toties male rem gessi, ut destiterim amplius hac in via conari. Funes demum meos circum frontem, cornibus sustentatos, composui; id quod si non optime, at satis bene confecit rem.

151. Ligna quae superne ad rupis marginem convexi, ut plurimum devolvo, trahula supra relicta. Fere quotidie post finitum imbrem haedos cum cane submitto in clivis lusuros. Valde mihi placebat, quod canis circumcurrere et circumscribere eos, pastoricii canis more, magis in dies discebat. Ego autem, si longiuscule abesse viderentur, iubebam: "iret, reduceret": quod quidem ille,

quasi probe intelligens, confestim faciebat. Porro grex ipse canem diligere videbatur. Iam sperabam non necesse fore ut hos vincirem, qui ferae libertatis non recordarentur.

152. Aliud quoque mox excogitavi. Ex virgula quadam, puerorum nostrorum more, cavata ac terebrata, fistulam confeci. Hac clare canebam quoties gregem eram pasturus: immo, si in via inter trahendum capro forem vescendi facturus copiam, fistula antea sedulo sonabam; neque umquam eos frustrabar, sed post illum cantum, aut cibatum illis aut potum fidelissime afferebam. Inde factum est, ut sono fistulae libentissime accurrerent.

153. De cibo meo restat aliquid narrandum. Panem nauticum ac farinam e nave eo magis consumebam, quia verebar ne mucescerent. Video autem, si Summi Numinis decreto hic diutius mihi sit degendum, domesticis opus est copiis. Quidquid herbarum, aromatis, fructuumve condiat cibos, si nec ponderosum sit et conservari queat, id fateor a longinquo non male importari: sed quidquid sit quo vescar praesertim, hoc omne sub mea esse manu oportere credo. Igitur agellum vel angulum potius in portu dioscoreis destinaveram, si humum idoneam afferre possem. Siccatae carnis paululum restabat, neque id iucundum. Leporem, praeter primum illud a cane, non gustaveram; sed pisces facile capio, - id quod explicandum est.

154. Primo linea hamis instructa piscabar, sed huius valde taedebat me. Postea pone cymbam parvum everriculum trahebam, quod identidem scrutabar, pluresque hoc modo pisces capiebam. Mox alia succurrit ratio, - ut ostium portus everriculis traicerem; idque feci, quamvis difficile erat valida ferramenta in scopulos illos (Postes quos dixi) infigere. Clavos spicatos e ferro

optimo postquam satis acui, malleo artillatoris sic impegi, ut angustas rimas inter saxa exsculperem: huc adegi ferramenta, quibus retia inniterentur.

155. Aestus alluebat pisces, quorum aliquot saltem numquam non relinquebantur in everriculis. Interdum magna vis capiebatur; tunc maritimae aves per retia irruentes meque et praedam meam vexabant. Quoniam corticibus sublata natarent everricula, pisces attinebantur sub aqua, quae profunda erat in ostio. Itaque hoc meum aestimo esse vivarium, unde pisces, quoties velim, non magno labore capio. Magnum mihi laborem attulerant everricula; sed animum meum, de cibatu canis feliumque anxium, solabantur.

156. Profecto quando de meis laboribus mecum reputo, illa mihi interdum subit animum contemplatio, anne, si optimus parens, ut erat tenerrimus, sic sagax fuisset meaeque intelligens indolis, posset forsan me domi apud se tenere, contentum atque beatum. Nae, si probe me nosset, non in Anglicarum legum studia, - semper arida, ieiuna, saepissime praepostera - incumbere me voluisset; sed impigrum ac strenuum aliquod opus, ubi oculus manusque viget, tali commendasset filio. Poteram autem patriae litora vel agrum latius pervagari, parentibus non derelictis. Etenim memini, quando eram in Brasilia, quamdiu nova erat opera, mira me vehementia eam persecutum esse. Nempe ut fortis equus ire vult, sed quorsum aut quare, nescit; sic impetu quodam ad agendum instigabar, nullo satis certo actionis fine proposito: itaque, rem quampiam assecutus, simul fastidiebam. Nec ulla profundior causa in funestam illam et sceleratam navigationem me propulit, ex qua in exilium tristissimum et laboriosissimum sum detrusus.

CAPUT SEPTIMUM

157. De capiendis piscibus memoravi: de coquinandis addo pauca. Octo decemve pisces, vel pauciores si grandes erant, rapido igne leviter elixabam, tum pinnas, id est, tota latera, capita, caudas, felibus meis reservabam. Magna spina extracta, ceteram carnem aut super craticula leviter torrebam, aut cum fabis vel grano admiscebam pro canis cibatu. Equidem in everriculo saepius marina animalia inveniebam, qualia nemo pisces nominaverit: porro piscium genus valde carnosum, quod magni aestimabam, squatinis nostris simillimum. Illud addo: si vellem, poteram facillime grallatorias aves quae inter cautes aut ipso in portu piscabantur, igne deiectas capere: sed carnem piscosam fore credidi, pulveris nitrati dispendio male emptam.

158. Farina autem elixa cum piscibus vescebar primo; mox Arabum more assas placentas faciebam. Nempe, combustis super ferrea lamina vel plano saxo lignis, prunas submovebam; placentas udas in calida superficie positas sub patella ferrea obtegebam: huic iterum superingerebam prunas. Placentae subter, velut in furno, coquebantur: sed fermentare placentas nesciebam.

159. De his hactenus. Ceterum de pulchritudine rerum quae domicilium meum cingebant, non eram incuriosus. In floribus aut foliis si quid excelleret, pluries reportavi aut radices aut sarmentum, quod defoderem in cavernarum vicinia. Summa in aestate coci nucem, quae sua ex arbore deciderat, reportavi mecum, plene maturam credens; mox ipso in portu meo serendam decrevi. Etenim sic commentabar mecum: "Si propere in Angliam avehar, numquam me paenitebit hanc sevisse arborem, plurium fortasse parentem, aliorum hominum domicilium ornaturam: sin hac in insula detinear ultra

biennium, gaudebo arbusculam videns surgentem."
Sedulo delegi locum serendi, congessique humum
uberrimam; statuo irrigandam esse diligentissime.

160. Post diem sane laboriosum, dum sub astris vescor et
bibo, antequam me in aquarum lavacrum committam,
miror quamnam ob rem me tantopere fatigem. "Anne, o
fatue Rebili, nihil tibi esse operis putas? Times-ne, ne
facile nimis vivens, socordia opprimaris?" Tum
respondeo: (etenim moris mei erat, multa clare loqui.
Nisi hoc fecissem, patriae linguae forem oblitus: immo
ipsum mentis acumen hebetatum foret. Sed prope omnia
mea difficiliora consilia, plena oratione pronuntiando,
definiebam magis et consummabam.) Itaque respondeo:
"Cibus, vestis, domicilium, vitam asservant hominis; sed
pulchritudo beatam facit vitam. Ad portum meum
adornandum, in honorem eius et pulchritudinem, cocum
nucem ceterasque res consevi." Extemplo etiam clarius,
"Oh fatue Rebili! (inquam) hominum neutiquam
miserrimus es tu, qui adornando domicilio das operam."

161. Aliam rem, absurdum forsitan, non absurdum erit
lectori communicare. Quarto die postquam cocum insevi.
Longius durante pluvia, tempus computabam,
invenioque natali matris die illam sevisse nucem. Mox
memini, quam incertum sit, vivat-ne mater an mortua sit.
Mire tangebar et tenera perfundebar memoria. Tum quia
plures noveram vel audiveram, qui praesagium mortis
alicuius se habuisse crederent, hoc mihi ipsi matris
mortem ominari videbatur. Etenim iam fassus sum, me,
simul ac opere cessarem, maestum saepius evasisse
fractumque animo.

162. Quando me ineptiarum incuso, respondeo, "fortasse
non esse ineptum." Nam si restituat me Deus in patriam,
tum aut gaudebo vivam inveniens matrem, aut rectissime

praecepero debitam maestitiam. Sin numquam restituar, sed solitarius peream, minus sum inhumanus, minus ab omnibus necessitudinibus abruptus, quando caritate praeteritorum emollior. Melius autumo, propter ficta humanarum rerum flere, quam rebus humanis omnino non tangi, et pro me solo vivere.

163. Quamobrem ubi nona venit dies, decerno in honorem matris novendialem praebere cenam. Hospites autem, quos solos potui invitare, erant psittacus, canis, grex, lepores, feles, columbi. His optimam, quantum possim, paro cenam. Ceteros facile satio, sed duas capellarum experior avidissimas. Magnitudine in dies crescebant. Omnes, cibo suculento pastos, sperabam maiores pinguioresque quam fera animalia fore, si semper largiter praeberem. Etenim velocitatem in capris minime cupiebam. Pondus corporis trahulae conveniebat vel lac promittebat uberius; itaque larga manu pascebam libens. In pabulo autem erat gramen merum, frondes item herbae plures delicatae, quas in matris honorem suggesseram. Has cunctas comedunt, concupiscuntque etiam. Imber destiterat commode: censeo igitur finiendam in saltu novendialem cenam.

164. Quam celerrime annulo lori caprum apparo, eiusque caudae capram adiungo: ceteros solvo. Falcatum gladium in balteum insero, caprumque ducens notum ascendo tramitem. Illi sequuntur. Canis in fronte excurrit. Psittacus humero meo insederat, suo more garriens incontinenter. Feles mirabundae emigrationem eiulant, tamquam ploratrices (opinabar) ad sepulcrum, mox nolebant progredi: cum leporibus domi remanebant. Magnam veli laciniam cum funiculis in dorsum capri conieceram; sic saltum attinemus. Haedi alternis pascuntur, ludunt. Sed ego gladio falcato herbas frondesque molles, quae sub quotidiana pluvia

luxuriabant, largiter succido, - alias lacinia veli obvolvo, alias mero fune colligo, - super dorso iumentorum apponens. Opportunum erat, quod tunc haec pabula deportavi, nam postea propter pluvias paulo difficilior fuit convectio. Ceterum animantium hilaritas et mea ipsius excitatio maestitiam mihi dispulit.

165. Sub longiore pluvia multum ego cum psittaco loquebar; quod quidem ab initio feceram. Sed postquam consuetus est nuces atque alios cibos e manu mea capere, gaudebatque meo advento, propere discebat loqui, et valde me risu alloquioque solabatur. Etenim, ut plurimum, docebam eum sic pronuntiare: "O fatue Rebili!" sic enim memet appellare solebam. Atque ille vocabulum "fatue" aut non potuit dicere aut non voluit, meum autem nomen libentissime ac plenissime proferebat.

166. Aliquando audiebam, O debili Rebili; vel, O febili Rebili; alias, O hebili Rebili; quae quidem sic interpretabar, ut essent, O debilis, O flebilis, O habilis! Dubitabamque subridens, numne habilis magis an debilis essem. Sed longe saepius meum nomen ipsum iterabat, et quasi variabat amatorie. O Rebili Rebili, inquiebat; tum accelerans semper sonorum cursum, O Rebi bili, Rebi rebi, Rebi relili, Rebi libili, O! - Et quum ego tristi cum misericordia vocabulum O! pronuntiarem, ille me imitans primo tragica severitate dicebat O! sed in fine tamquam cavillans deridensque illud O! ioculariter efferebat, donec in cachinno solvor. - Neque vincire eum opus erat, itaque ligamina detraxi.

167. Omnium uvidissimus, ut opinor, Iunius erat mensis, numquam tamen quinque vel sex horas exsuperabant pluviae. Quodam die post imbrem splendida fuit caeli serenitas cum aura mollissima. Interrogavi memet

quidnam facere oporteret. Statim respondi, - "Nunc, si vir es, Rebili! testudinem marinam reportabis." Hoc namque saepe cupiveram, conatus eram numquam; sed hac in claritate solis post pluviam, testudines credebam summa in aqua suspensum iri.

168. Cymba expedita progressus sum. Lato lenique motu fluctuabat aequor maris, molle, rugosum, et quasi oleo perfusum. Fervorem solis aura marina discutiebat: itaque pergo. Tertium illum attingo sinum; mox video testudines plurimas, summis in aquis apricantes, fortasse dormitantes. Cautissime circumspicio, et modica deligo magnitudine unam, cuius caput erat aversum.

169. Lenissimo motu allabor, omnesque caveo strepitus; dein pedes testudinis posteriores transversis manibus arripiens, dum ad proram genibus innitor, uno molimine ac iactu, praedam media in cymba teneo supinam. Morsus testudinis horrendus est: hunc si cavebis, cetera erunt in facili: in dorsum autem coniecta, iacet immobilis. Confestim redeo, tam cito successu laetus. Postmodo haec praeda maioris mihi erat quam putaveram.

170. In dies mox foedior ingruebat tempestas. Tandem inter nimbos nigerrimos prodibant fulgura tremenda, quae frigus maximum incutiebant: grandinis procellae sequebantur. Tonitrua per plures horas erant paene continua. Mare vehementer furebat; aestus ipsas ad rupes pervenit. Quando pluvia paulisper destitit, exeo prospecturus: ecce autem carina navis nostrae decem mensibus post naufragium, ipsis in harenis intra cautes proiecta.

171. Extra cautes mare montuosum erat; intra tam perfractum, ut nulla posset esse cymbae utilitas: sed valde brevem esse intelligo aquam. Tanta sum cupiditate

incensus, ut caligis ac bracis exutis, mare ingressus navis fragmina scanderim. Summae sane partis non multum restabat: quid remaneret in alveo, volo inquirere. Facile video et multa inesse et nihil posse me id temporis amoliri: itaque postquam satis exploravi, redeo domum, per aquas praeter rupes necessario vadens.

172. Sed algebam, crepitabantque dentes mei. Muto vestimenta: frico cutem: sed algeo tamen. Ignem accendo, neque inde multum acquiro caloris. Sensim inveni, penitus in viscera descendisse frigus, et morbo me pertentari. Proiectus in cubili, quidquid ibi erat vestimentorum circumvolvor. Nequicquam. Ignarus quid facere oporteat, pavesco ne vesper ingruat, tenebris obtegar, inops auxilii consiliique. Tandem algoribus meis nimius fervor succedebat, valde profecto violentus.

173. Interdum Maurorum formulam adhibens, in pectore aspiravi: "O Deus! a te prodivi, ad te redeam!" Quid foret, esse solitarium, tum demum cognoveram. Iacere, stare, sedere, cuncta dolebant; flagrabat caput. Corporis dolores angor mentis exsuperabat. Tenebras, omnium rerum maxime, metuebam. Surgo, pede titubante incedo, aquam potulentam et citrea mala quaerens. Os interius plane siccum erat; lingua si buccas, si palatum tangeret, ibi adhaerebat. Quare malum citreum, in tenuissimas quasi assulas concidi, quarum unam linguae apposui: alias in poculo compressi, deinde aqua commiscui. Hoc medicamentum sorbillabam, interdum bibebam. Credidi fervori viscerum id fore utile. Alteram mox atque alteram super lingua compono assulam citricam, siccitatis levamentum. Iam nox adveniebat, recordorque animalia non esse pasta. Feles vehementer eiulabant. Neque potui eas abigere, neque, dum fervor capitis instat, sufficiunt mihi vires ad ministrandum.

174. Tandem in sudorem solvor: post horas dolentissimas mens se aliquantum recuperat. Spisso obvolutus pallio, cibatum praebeo felibus, leporibus, capris, cani, quamquam debilis toto corpore. Iam certum habeo, qualis sit febris huius natura; felicemque me iudico, quod lux in tantum duraverit. Mente levatus, plurimisque vestibus opertus, somnum capto; sed quando dormito paulisper, morbida me terrent insomnia, prava religione plena. Sane pluribus horis ante lucem ipse sudor cessat; tum, quamvis defessus, laboriose cutem perfrico, et quidquid e vestimentis maxime sit villosum, libens amplector: ligna in culina accendo. De remedio morbi tum meditor. Dixi me cinchonam e valle apportasse, atque in usum corii adhibuisse. Bonam hinc esse medicinam noveram; nunc vero contra amaritudinem eius firmans mentem, aqua commixtam libere poto. Nec dubito quin me sagaciter curaverim; nam febris non rediit. Mane autem e cubili surgens, cogito quid postea faciendum.

175. Imprimis statuo: si possim, noctem insequentem non sine lumine me acturum. Aut candelas aut lucernam aliquam iudico necessariam. Nihil facilius videbatur, quam Maurorum ritu rem conficere, si aut oleum aut sebum haberem. Sed quicquid fuit, id omne credidi consumptum esse, aut in cibatu canis aut in scapha resarcienda, sive in retinaculis iumentorum vel in serra. Tum testudinis reminiscor: huius adipem volo adhibere. Item carnem eius, ut novum quiddam, pro cibo statim concupisco. De mactanda, fateor, haesitabam; nam tale feceram nihil. Caput testudinis si amputabitur, tamen (aiunt) post viginti quattuor horas mordebit tenacissime. Quid ergo occidet eam? Ego vero opinor, amputato capite, nihil doloris sensurum corpus. Igitur ipso in dolio, ubi in aqua marina servabatur, amputo caput: hoc caute forcipe abicio: cetera concido et plurima intus ova

invenio. Horum quattuor protinus torreo, vescorque cum placenta. Maximam vim adipis excipio. Partem huius (eam fere quae solidior erat) pro placentis assandis vel pro sartagine reservavi: longe plurimam pro oleo sumpsi. Tum de linamentis cogito.

176. Feliciter accidit, quod huic rei non opus est viribus: linamenta contorquere, puellarum potest esse opera. Veterum funium quidquid esset corruptum, pro stuppa reposueram. Inde duabus horis linamenta confeci, quot triginta noctibus facile sufficerent. In ferrea patella depono adipem ac linamentum sic circumtortum, ut finis huius super labro patellae minimum tantum dependat. Ipsum linamentum liquida adipe saturatum accendo, experiorque rem bene procedere. Equidem si dormirem, nemine linamentum subinde extrahente, post paulum extinctum foret: attamen id parum referre censeo; nam per igniaria possem accendere, ut primum evigilarem. Postea iuvat me invenisse, talem febrem posse subigi.

177. Post triduum finitae sunt pluviae, et sol processit clarissimus. Ego quoque prodeo, tepore gaudens. Inviso litus. Video doliis stratum, cadis, arcis perfractis, lignis omnis formae et ferramentis. Paene in sicco erat ipse navis alveus, cum ancora atque ancorali. Cuncta iam pro meis destino, sed volo relaxari paulisper; etenim minus firmum me sensi: igitur ab his redeo in portum.

178. Feles video, utramque cum catulis recens natis. Tum me subit: "Ah! illud erat, quare adeo eiulavere; non tamquam funeris ploratrices, sed ut expostularent catulorum alimenta." Bonis matribus collaudatis, praetereo. Iamque recordor, feram felem primo illo die esse a me visam; de quo postea aliquoties dubitaveram. Agnosco, aut in saltu aut in silva magna tales inveniri bestias.

179. Gregem deambulans assequor. Haedos omnes grandescere ac pinguescere notaveram; iamque video iuniores capellas spem prolis dare. Inviso lepores: en autem, lepus femina lepusculos ediderat. Non ridere non poteram: immo cachinnavi. Sic autem interpretatus sum: Teneram progeniem male nasci ante finitas pluvias: quare sic esse a Natura comparatum, ut quam proxime postea nascerentur.

180. Lectori denuntiandum est, inde ab illa febre pietatis me conscium novae factum. Res non prorsus nova erat; nam inde ab ipso naufragio quasi fermentatio mentis coepta est. Tum primum didici, quanti esset humana caritas, quam iucundus ipse aspectus hominis. Mox erga ipsa animalia emolliebar, quorum caritatem pluris quam utilitates aestimabam. Deinde intellexi, quam ingens esset inter generosissimum brutorum atque infimum hominem discrimen: etenim quemvis e servis meis Brasiliensibus loco canis optimi vehementissime amplexus forem.

181. Iam paenitebat me de parentibus: neminem praeter memet culpabam. Erga hos reverentia, erga omnes impetus quidam amoris ac desiderii me exercebat: itaque, ut opinor, ad rectam religionem eram maturus. Etenim dixit nescio quis: "Qui inferiora bene amat, hic superiorem bene venerabitur." Attamen ante hanc febrem ipse Deus ignotus quidam ac nimius videbatur mihi; quem quidem diligere, praeter naturam esse censebam. Nec his de rebus singillatim iuvat explicare. Quippe neque ego ab aliis neque ceteri a me eam religionem ediscent, quae pectoris est, non merae mentis.

182. Sed ipsa in febre, quando tranquille Deo me commisi, intellexi primum, quam non longinquus esset Deus; immo, ipso illo in loco adesse illum, si uspiam

alibi. Exinde profundior de religione me invadebat cogitatio; neque cogitatio solum, sed cordis quidam motus, qui me tunc primum ad sacram lectionem instigabat.

183. E quattuor meis libris, unum dixi esse precum Lusitanarum secundum formas Papales. Idcirco spreveram. Nunc autem legens, plures invenio versiculos e Iudaicis et Christianis libris, qui cunctorum sunt, non Papistarum modo. Duo me praesertim commovebant. "Quem diligit Dominus Deus, hunc castigat, per virgarum disciplinam erudiens filios." Item. "Quare homo, qui vescitur aura, de poenis delictorum conqueratur? nae, prodest in iuventa sustinere iugum."

184. Tali lectione affectum, preces et verae et vehementes sancto me gaudio tum primum pertentarunt. Porro hinc repperi, unde solitariae vitae derivarem solatia. Inquietissimus sane interdum eram, pertaesus solitudinis et suspirans ad alloquium; attamen tria tandem plene didici: - constantius ea quae animo, quam ea quae oculo percipiuntur, permanere: - Deum non minus mihi esse praesentem, quod abessent homines: - denique, Ut ex hoc taedio me potuit eripere, sic in eodem posse illum purgato mihi animo pleniorem dare liberationem. Sed haec pedetemptim et plures per menses. Quippe vera religio vita est, non disceptatio ingeniosa, nec nisi multa pectoris exercitatione ipsarumque rerum experientia percipitur.

CAPUT OCTAVUM

185. De grege erat quod me male habebat. Capri maximi quamquam labrum perfoderam, tamen expertus sum aliquando ferociter eum cornibus petere; idque periculosum esse sensi, quando ad trahulam eum vellem ligare. Re perpensa, ne mihi aliquando sit infestus, cornuum eius maximam partem serra amputo. Relinquo tantum, quantum helciis sustentandis sit opus. Exinde gnarus deminutarum virium, tranquillior factus est.

186. Ne posthac obliviscar, hic libet narrare, quidnam cornibus eius fecerim. Solidiora erant, quam caprarum quae asservaveram: iam arcum terebrandi gratia conficere statuo. Saxum quoties vellem perforare, nihil e mea supellectile placebat. Erat mihi terebra, erat cestrum fabrile, utrumque tenue nimis; non nisi ligno vel cornui terebrando idoneum. Ad saxum terebrandum clavis spicatis utebar multo cum labore; nunc arcum ritu Maurorum libet adhibere.

187. Imprimis e velorum funiumque trochleolis unam delegi bonam, perfecto orbe, cuius in medio quadratum erat foramen. Ferreolum item deligo (multa in litore talia tunc iacebant) quae illud foramen tantum non intret. Huius unum finem igne mollitum valde tundo, ut sit et solidior et paene acutus: alterum finem in teretius concinno. Mox lima hic atque hic detritam, in foramen trochleolae impingo. Acutiorem finem mola quoque exacuo: sic ipsam terebram perfeci.

188. Arcus restat. Anquisito robore solido, unum fragmentum circumcido serra; dein duo foramina paulo obliqua terebro, quorum in utrumque inferciatur cornu infimum. Spatium inter haec relinquo, velut manubrium, quod firmiter possim prehendere: duobus laminis ferreis

ac fune robusto confirmo iuncturam: cacumina cornuum laxo nervo connectuntur: hic est arcus.

189. Nervus, trochleolae convolutus transversusque, fit tensus: tum arcus, citro ultroque tractus, terebram rotat. Porro in angusta assi foramen facio, quod alter terebrae finis facile intret. Assim hunc in dextra tenens, dirigo terebram, dum sinistra arcu operor. Simplici hoc apparatu saxa dehinc longe facilius terebro.

190. Vereor ne taedio sim lectori, si plurima quae elaboravi accurate explicem. Nova atque ampla materies e ferro lignoque, quam cum reliquiis navis nostrae nactus eram, nova me implet ambitione: item auctus grex vim novam trahendi offert. Idcirco, plurima convehenda destinans, maiorem volo construere traham, tam latam, ut aequa fronte iumenta trahant tria, meque ipsum, quoties velim, habenas retinentem, vehant. Quidquid ligno ferrove conficiendum erat, confeci; sed corium deerat.

191. Pelles si haberem, nec depsendi eram peritus, nec libens propter pelles capros occiderem. Tantum animal, tam plenum sanguine, mactare, avehere, concidere, nauseam mihi movebat. Sed e fruticibus maritimis unum repperi, cuius folia funiculis comparaverim.

192. Haec in sole siccata, mox oleo tincta, leviter contorsi, tum ex connexis robustiores struxi funes. Inde materiem habebam, e qua habenas, retinacula, etiam helcia atque alias res iumentis utiles conficio. His si non optime instruebar, meis tamen usibus fuere idonei.

193. Vix opus est dicere quam curiose omnia ferramenta ex litore collegerim; nihil equidem sprevi e lignis, doliis, arcis, fracta an solida essent. Maiora quaedam ligna,

multo molimine sursum tracta ipsis in caloribus pro ponte destino, per quem traha mea aquulam e saltu transmeet. Cratibus superiactis et fiscorum frustis, cum tabulis et humo, viam tandem consolidavi.

194. Alteram quoque viam sub rupibus credo necessariam, ne aestu maris interrumpatur trahae commeatus. Torno meo (id est, nova terebra) saxa cavo, nitrato pulvere discutienda; et minus laboriose quam exspectaveram obices amoveo viae. Profecto hanc viam facilius confeci, quam ponticulum illum, qui quidem non magno poterat esse usui, donec tramitem super rubra rupe feceram trahae pervium. Omnium meorum operum hoc vires meas unice exhausit, praesertim quia aurae tum maxime stagnabant. Sed protinus magna habui adiumenta frugibus vel fructibus deportandis, sive ab hortis meis sive a convalle.

195. Quinto die ante Kalendas Sextiles, caprae duae partum ediderunt, unaquaeque binam progeniem. Primo lac mihimet avebam, conorque mulgere. Huic rei inhabilis fui, reputansque declino mulgendi labores, ne ego potius pecori quam pecus mihi inserviat; nam si mulgendi negligens forem, id pecori foret crudele, mox lactis cohiberet profluvium. Tum in delicatiores cibos lac adhibere, longe nimii temporis erat et curae. Spero me cocis nucibus cito abundaturum, atque harum lac semper fore in promptu. His autem de nucibus sunt quaedam explicanda, quae praetermiseram.

196. Nolueram barbarorum more proceras arbores scandere; id quod et laboriosum fore et periculosissimum credidi. Novas scalas hanc ad rem, duobus antea mensibus, et propriam falculam commentatus sum. Et quidem pro falcula, perticae longae in fine loculum incido, ubi inhaereat ansa cultri coquinaris: tum funiculo

cera oblito (nam massam quandam cerae habebam) ansam illam perticamque circumvolutam firmiter constrinxi. Atqui modica firmitudo poterat sufficere; nam acuto cultro leviter amputantur nuces. - Pro scalis ipso in cocorum sinu par idoneum arborum succido, triginta fere pedes longarum, postquam capita detraxi. Utramque dedolatam quantum possim sine detrimento roboris extenuo, ut quam levissimae sint scalae. Sane erant cavae (medulla quadam plenae), idcirco robustiores, quam si eiusdem fuissent ponderis et longitudinis, sed solidae. Gradus scalarum addo, e lignis atque e fune, ut in cubicularibus meis: sed tres in summo funes valde laxos relinquo, ut scalae applicatae quasi amplectantur arborem, nec possint delabi. Tali instrumento adiutus, credidi posse me amplam nucum vim decerpere, quamquam plurimae coci longe proceriores macacis opulentam reservabant praedam. Haec, credo, in Maio mense finita sunt.

197. Equidem cocorum utilitates parum intelligebam; sed plurimas esse gnarus, nihil reieceram. Frondes pennasve (si ita licet dicere) parvae illius coci, quam pro remis succidi, animadverti paene tegulorum esse instar. Has funiculis ita consueram, ut cuculli vicem optime gesserint. Medullam cocorum arborum atque aliarum palmarum statuo explorandam: corticem omnem asservo.

198. Grex (quem propter sanitatem maturius in saltum traduxi), evulsis solo pedicis, in vallem rediit. Cunctos invenio circa vetus praesepe, herbas uberrimas atque apprime suculentas summo cum gustatu rodentes. Pedicas detraxi, ipsas animantes reputans a Natura melius quam a me edoceri, ubinam potissimum degere oporteret. Quoniam cicures invenio sibiloque fistulae oboedientes, id mihi sufficit. Succurrit animo, quantum roboris amiserint vaccae nostrates domesticae, quam

saepe difficili partu torqueantur, per nostram importunam curationem. Vereor ne meum gregem immutem, si stulte ego me immisceam.

199. Serius, quum aurae stagnarent calorque ingrueret, non ad saltum perrexere, sed ad apertum ac summum collem; fortasse quia culices vel oestri urgebant. Multo mane (credo) pascebantur, ante lucem; postea auram captantes mire apricabantur summo in colle, ibidem dormientes.

200. Ego quoque in stagnante aura pertaesus cavernarum, postquam aliquot noctes iterum inter ramos arboris dormiveram, melius fore credo, si gregem sequar. Quare multa ac difficili machinatione tres asseres longissimos summo in colle sic erexi, ut de colligatis capitibus lectus pensilis sustineretur. Ego per funem ascendo, qui desuper fluitans quasi in anulos nodatur, in quos ingredior. Ut primum lectulum attingerem, funem illum ad me recipiebam. Talis erat novi cubilis forma.

201. Haec inter opera, ex novo quodam iunco contexui dorsualem illam, de qua dixi, tegetem; item foliis roscidis tum primum caput meum sub infula condo. Etenim nimius erat fervor solis; quamquam calor non adeo suffocabat quantum metueram. Illa in regione ipsius aestatis nox longiuscula est, flabatque identidem sicca in tempestate vespertinus turbo venti, qui aera refrigerabat; necnon quavis in nocte aura quaedam montana superioribus in locis sentiebatur.

202. Maris temperiem sensim augescere credebam; ego autem magis magisque lavacris captabam frigus. Si caput ac dorsum a sole defendas, alio tegmine vix opus est, nisi propter culices; ego vero, tenuissime amictus, posse videbar multum laboris vel summa in aestate perferre.

203. Finito quod maxime urgeret, paro humum optimam ab ostio fluminis ad portum transvehere, in qua dioscoreae serantur. Locum delegi, quem possem ex rivulo quoties vellem irrigare. Hunc ad usum ligna aliquot sic cavavi, ut compluvii instar essent. Robustissimas meas tabulas ad traham curatius constrinxi, ut humus ingesta ne efflueret. Duobus iumentis biduum conveho humum: traha sub rupibus in plano currit: cava loca impleo; quidquid fimi uspiam reiectum est, comporto, opperiorque tempus dioscoreis ipsis plantandis.

204. Multum fruebar lectulo pensili. Sub astris iucundum erat frigus, aliquando tamen nimium. Nox decem horas durabat, ac sine crepusculo. Tot horas dormire non possum, frigesco interdum sub nudo aethere. Gregem comperio pasci tres vel quattuor horas ante solem, dormire post meridiem: credo me, iterum animalia imitantem, sequi Naturam ducem. Ante solem exortum iis rebus operor, quibus lux est minus necessaria: inter has vescendi operam numero atque incedendi sive ad cavernas sive ad vallem. Sed unusquisque dies suum habuit colorem suumque opus.

205. Iam credo advenisse tempus fructus colligendi. Uvas in hortis invenio multis in locis iam maturas. Aliquot gustatis, magnam vim decerptam resticulis suspendo, ut sole arescant. Multos per dies huc commeans idem facio, pluresque fructus traha reporto.

206. Tum ricinum invenio fruticem, e qua oleum illud quod castoreum vulgo appellant, conficitur. Multo cum gaudio maniocam invenio, ex qua conficitur cassava panis. Hanc in Brasilia noveram: inde etiam excoquitur tapioca Anglorum. Porro banana vel musa his in locis

nascebatur, infra autem nanas quasdam palmas dactyliferas esse comperio.

207. Alio die optimum repperi in manga arbore terebinthum, credidique me hinc satis habere posse, tum stuppae, tum terebinthi aut resinae. Plures fructus colligo vix exorto sole, postquam ante lucem ad hortos pedibus incessi. Si quando fabrilem propter operam valida nervorum exercitatione opus sit, id aut ante solem perficio, aut sub stellis lunaeve luce, taedis aliquando adiutus.

208. Iam paulo audentior factus, canem habens comitem, - si usus veniret, sub arbore dormiebam horis meridianis. E sopore experrectus, apparo traham, iungo iumenta, ipse vehor in traha, hortos postmeridiano tempore inviso. Tum fructus ingero, iumentis ad pascendum solutis. Si nimis vagentur, canis reducit. Demum iunctis iterum ad traham, descendo cum onere pretioso. Nova mox ingruit difficultas, quum non sufficerent arcae protegendis thesauris.

209. Tamen neutiquam satiata est mea cupiditas. Ad cocos nuces demetendas falculam illam mecum apportavi; scalas novas ipsis in hortis relinquebam. Dum autem infra incedo, ananassas video multas (mala pinea vulgo nos vocamus): numquam ego antea has animadverti. Iam intelligo et plurimas esse et maximas, paene ex harenis cum cactis nascentes. Unam illico vindemiavi, nec abstinui quin grande frustum comederim.

210. Mox nucem cocorum ab humo sumptam perforando experior num sicca sit. Paulum lactis exsugo, - dulce, spissum, non copiosum. Plures harum colligo reservoque seorsum. Tum applicatis scalis, quicquid nucum videbatur maximum, id decerpo, duosque facio acervos.

Propere domum redeo cum ananassa illa ac falcula, et, paulum recreatus, in cymba regredi ad hortos volo. Attamen statum aestus quum video, et promunturia quae essent superanda, id vero non ausus sum.

211. Tum subit cogitatio, quanto melius foret, si scapha possem reportare; tanta erat copia, tanta varietas fructuum oculos et mentem captantium. Bis traha hortos invisere uno in die facinus erat magnum: quantum traha possem reportare, quinquies id scapha portaret. Post auroram, credo, lenis aura favebit: maris plures per dies aequor fuerat undis expers.

212. Iam dactylos, bananas, cocos nuces, ananassas, uvas, ad libitum me habiturum spero: nimia me spes et nimia cupiditas festinavit. Crastino die leni aurae vela scaphae permisi; illa per vitream oceani superficiem clementissimo motu delabitur; mox ultra promunturium paulo velocius devehor. Demum laetus ipsum attingo ostium, et detracto velo, remis ingredior rivum.

213. Multa avidis oculis lustravi: quae acervata erant, assumpsi: plurima alia abripui. Sine mora impono omnia scaphae, et reciprocum iter conor. Tum vero fortuna se vertit. Stagnante aura, velum inutile erat. Remis incumbo, sed tardiuscule moveor. Nervis contentis, defatigo memet, aestuosa in hora. Tellurem observans, dubito anne progrediar, maxima mea vi. Cohorresco, ne hac in parte profluens sit maris, quae me in ignotas aquas rapiat. Uni homini certe nimia erat, nisi vento marique favente, huius scaphae moderatio. Igitur deficior fortitudine, et reflecto scapham in palmetum, quo tandem pervenisse gaudeo, valde defessus.

214. Ego vero angor animi, quo pacto reduci possit scapha. Re amplius perpensa, credo numquam me

ausurum eam mari committere iterum. Tunc maestissime solitudinem meam conquerens, optabam ut iterum puer ille Maurus, quocum ex Mauritania aufugi, socius mihi navalis foret. Sed protinus me conscientia obiurgat, quod propter servitutem eius, fortasse necessariam, ego nummos acceperim: itaque ingemens, os in manibus recondidi.

215. Exinde tamquam in somniis hilarem audivi vocem, Rebili bebile libi bili O! psittacus autem in humero meo considebat. Is quidem rostro ac capitis pluma genas meas demulcebat, ac voces profundebat carissimas. Sane tangebar. Quia sine comite meo processeram, ille ad hortos me anquirens avolaverat. Volasse eum, minus accurate dixi; quippe manca etiamnum penna, inter volatum atque obliquum saltum procedebat.

216. Tum repleta fiscella, experior quantum possim humeris sufferre incedens. Modicum bananarum et dactylorum onus assumo: vescor quantum libet, bibo e rivulo, et, relicta scapha, ascendo vallem. Pedibus iam siccis (nam aqua marina immersi erant), sub umbra citri per fervores maximos recondor, dormioque paulum; demum notum per tramitem evado, maestusque assequor cavernas.

217. Ex quanta calamitate quam angusto discrimine effugissem, per meam tempestatum imperitiam, prorsus nesciebam: nam, triduo post, turbo furiosus ventorum totum caelum pervertit cietque intimum mare. In cavernis libens me recondo. Tum memini Kalendas Septembres imminere, quo in die navis fracta est. Anno superiore egenus eram, inops, spe destitutus: nunc opum multarum sum dominus et praeclaro fruor procellarum profugio. Equidem libris legendis et calami usu peto varietatem negotii. Quae feci, non libet hic accuratius

narrare; sed libro illo mathematico adiutus, dedi operam ut fundamenta rationesque mathematicas solidius probarem.

218. Ut primum credo saevas praeterisse procellas, decerno in domesticum hortum incumbere. Dioscoreas circa quinquaginta praeparaveram, radicibus circumcisis: item septemdecim maniocas tractaveram pariter: has omnes in traha reportatas rite consevi: mox humum de novo a fluminis ostio convectam addidi, quia de manioca prius non cogitaveram.

219. Macacos vidi fructibus meis insidiari, item nescio quod insectum aliquot horum corruperat. Nolo de cibariis anxius esse: alia multa opera curam viresque meas avocant. Credo, quantum sine nimio labore possim convehere, tantum convehendum; nam nescio utrum, seu robigine seu insectis sive avibus aut macacis, maxima pars rerum coacervatarum sit peritura. Itaque res edules avide reposui; porro alias res, ut ricinum, - e quo facilius oleum extruxi propter fabriles usus quam ex alia quapiam re.

220. Sed arcae loculique ad res asservandas non sufficiebant. Quidquid habebam ollarum aut lagoenarum, adhibui ananassis, persicis malis aliisque fructibus conservandis. Ahenum maximum oleo ricini spurcum erat; nam quamquam arena emundaveram, manebat quidam odor et nauseam creabat. Nova vasa fingere volebam, immo magna, quae ut apud Mauros, doliorum vicem sustinerent.

221. Prima mea experimenta valde rudia erant. De forma incuriosus, argillam sole siccare et concoquere conor, si massam aliquam possim satis consolidare. Lateres potius quam ollas conficiebam: cito autem agnovi, rem hac via

non procedere. Coctis lateribus sine dubio erat opus, ad furnum constituendum; dein igne, non sole, coctos lateres velim.

222. Herbas in sole siccatas pro stramine crudis lateribus intertexo, argilla primo subacta: sic facio struem. Stipites virides cum sicco ligno mixtos interpono atque compono: mox subicio ignem. Materie renovata lentum calorem per totum diem sustento: postero die (quoniam non videbatur ignis sufficere) violentius incendo: iamque lateres bene cocti erant et solidi. Mero luto et lateribus illis (sine gypso, quod e rupe calcaria potuissem comburendo conficere) furnum construxi.

223. Omitto narrare, quo pacto in experimentum primo fecerim ollas. Ceterum explorato, posse me plumbo liquefacto vitream quondam faciem superponere, id quod propter munditiam concupivi, optimum credidi, quam maxime quadrata fingere ingentia vasa; quoniam haec forma omnium esset facillima. Plura horum, fateor, praeter aciem rimas egerunt; sed res solidas, non liquidas, recondebam; itaque meis usibus aliquatenus serviebant.

224. Ceterum ut telorum artem probe exercerem, intimo in portu clipeum quendam ingentem, velut metam scopumve, erexi. Compages erat ex assulis: velorum praetensis laciniis, in medio (pro taurino, quem vocant, oculo) pullam lanam affixi. Unamquamque ignipultarum sua in vice exercebam, aliquando maioribus glandibus, aliquando aut olorinis aut minimis: sed plumbum omne diligenter recollegi, quantum poteram: spatia quoque sedulo notavi, ut in collineando peritior fierem. Nisi me aliquo modo aut exercerem aut oblectarem, maestitia me incessit; etenim non iam laboribus fatigabar.

225. Sed multus eram tunc temporis in coquendo et condiendo, ne fructus perirent plures. Ollas Europaeas aliquot habebam, sed operculis egebam, quae aera excluderent. E mangis resinam quandam elicui, qua velut pice oblinerem velorum lacinias. Hae, operculis circumdatae, satis bene concludebant ollas; at resinam de novo superlevi.

226. Oblitus sum quaedam de eiectamentis maris narrare. Uno in dolio plura inveni ornamenta, praesertim specilla ac vitreas bullas. Specillorum orae detrimentum tulerunt; sed bullae erant incolumes. Tres item fasciculos inveni, discolorum vestium plenos. Postquam aperui, sub umbra exponendas decerno. Non integra fuit colorum pulchritudo, necnon plures vestium quasi rigescebant. Omnes in cavernis reposui, si forte posthac utiles fierent. Bullas autem plurimas, resticulis, sive filis coniunctos, super iumentorum cervicibus ornandi causa suspendi.

CAPUT NONUM

227. Tales inter curas exercebar, quando nova res me vehementer excitavit, Octobri mense. Quodam mane, dum eram in culina, mare versus aspiciens, repente video navigium, nigris hominibus plenum, quod ad portum meum videbatur tendere. Haesito exanimis, neque audeo in armamentarium excurrere, ne cernar; metuoque ne animadvertant aut retia mea aut tramitem. Appellunt sub caerulea rupe, extrahuntque captivum, cui brachia post tergum erant retorta. Dum obstupesco contemplans, subito in navigium redeunt cum captivo et remigantes abeunt. Extemplo alterum video navigium, quod promunturium caeruleae rupis studet exsuperare: iam intelligo priores eodem tendere, ne a sociis suis dividerentur.

228. Ut primum evanuere surgo Ignipultam corripio bitubam, quae Helvetici militis fuerat; qua quidem hac in insula numquam usus eram, praeterquam in exercitando, quoties in clipeum collinearem. Quum paulo gravior esset, furcam quandam pro fulcro adhibebam: qua in terram defixa, multo certius iaculabar. Utrumque tubum nunc diligenter suffercio, hunc magna glande, illum olorinis; item par pistolarum. Vescor parce; placentam in sinu vestis recondo. Accinctus balteo, gladium sumo, pistolas, bitubam sua cum furca, item prospeculum, quod de collo suspensum gerebam funiculo crassiore, quia loris delicatis deficiebar. Perulam quoque capio, pulveris ac pilulorum repositorium. Tum aliquoties ad Numen Supremum vota vel preces attollens, egredior prospecturus. Canem abegi qui me comitari voluit.

229. Ad speculam meam quanta poteram celeritatem ascendo. Inde video circiter viginti quinque viros cum duobus captivis. Ignem iam accenderant: mox unum e

captivis nudum in arena extendunt, caput clava obterunt, et confestim membra discerpunt. Cultros non clare dispexi, sed (quod horrorem simul ac nauseam mihi movit) torrefactis membris vescuntur. Dum facinus exsecro, credo licere mihi, si possim, omnes trucidare, qui hospitium insulae meae tam foede violent. Ego autem consedi immotus et tamquam fascinatus.

230. Repente alium video captivum praeter oram maris fugere: hunc quinque persequuntur summo ardore. Ille colles versus tendens, pone rupem evanescit. Tum exsurgens curro, cavens tamen ne exanimis fiam; tandem iterum fugitivum discerno. Viam Lunatam ascendit; pone tres viri sectantur, quorum primus clavam habuit bellicam. Duo illi sagittas. Fugitivum credo a primo secutore velocitate superari, tantummodo praeoccupasse cursum. Ego in fossa quadam lateo, defigoque furcam in solo.

231. Intelligo fugitivum non posse evadere: etenim anhelabat graviter. A primo secutore prehensus, ab illis necabitur; sed opperior dum prope veniant. Tranquillissime collineo, dein olorinis pilulis iaculor. Illico prostratus cadit primus secutor. Saltat metu fugitivus, fragorem audiens, sed nescit primo quid acciderit. Mox capite inflexo respiciens, vidit hostem deiectum: tum ipse quoque subsistit, animam recipiens. Secundus adhuc currit: iam sagitta arcui applicata parat transfigere fugitivum. Id me iterum accendit, nec tamen occidere eum volo. Glande maiore ex altero tubo crura eius peto, affligoque actutum. Qui tertius accurrit, duos socios prostratos cernens, auditoque fragore, summa celeritate retro cedit. Mox duos alios qui pone sectabantur, hic vertit retro; itaque evanuere omnes.

XCI

232. Tum egomet egredior. Fugitivus obstupescebat etiam. Tandem accurrit, et coram provolutus, terram fronte tangit. Id erat pro veneratione. Excito hunc, et, Anglice loquens, plane tamquam intelligat, impero ut mecum veniat. Vulneratos volo invisere. Posterior volutabatur humi, nec potuit surgere; tamen ab arcu eius aliquantum metui. Sed fugitivus circumsaltans arcum e manu eius eripit: protinus correpti erat oblisurus fauces, nisi ego iratissima voce prohibuissem.

233. Vulneratus ille stolide admiratur: angor (credo) vulneris metum domuerat; nam per femur transfossus est. Fugitivum iussi brachia vulnerati manibus constringere, funemque e loculis petii, frustra. Sed funiculum illum collo detraxi, qui prospeculum meum sustinebat: hic pro compede sufficiebat. Dein vulnere inspecto, mappam e loculis vestis meae extractam applico, et linteis infulae firmiter ligo.

234. Tum fugitivo imperavi, ut mecum tollat virum et in proximo quodam cavo reponat. Non reluctatur ille saucius: credo eum, quum vulnera ligarem, intellexisse tale facinus non inimici esse. Sed ad primum secutorem convertens me, mortuum esse cognosco; fortasse in cor penetraverant pilulae. Confestim fugitivum accersens, reviso speculam. En autem! duo illa navigia iam sunt in mari, abeuntque: id quod mihi erat gratissimum. Credidi eos perterriti quasi miraculo, aufugisse.

235. In re tam nova vix me recolligo; spatium considerandi cupio; sed fugitivus me suscitat, osculans talos meos. Equidem tum eius demulceo genas, iubeoque me sequi. Descendo ad cavernas: vestem induo, cibum appono, ipse quoque vescor. Veste sane ac cibo gaudet, mox iterum iterumque me veneratur.

236. At ego traham paro cum duobus iumentis. Quando gregem aspexit, video quantum excitetur. Impono trahae lecti vestimenta, ligonem ac palam quandam. Arma mea, praeter gladium, exuor: tum cum fugitivo ac cane ascendo novum meum tramitem, iumenta ducens. Longiore hoc circuitu regressus ad mortuum, incipio humum ligone aperire, ut corpus recondam. Id vero fugitivus me non vult facere: sumit ferramenta, operam strenue perficit: tum mortuum humo obtegimus. Clavam eius curiosus asservavi.

237. Exinde sine mora sauciatum hominem in traham assumptum reporto, et gestu signisque benignis permulceo. Profecto volui hominem sanare, nec ignarus eram quantum impediret sanationi pavor et anxietas. Quare quidquid potui excogitare, feci, tamquam fratri. Aquam libenter bibit, vesci noluit. Postquam vulnus summa mea ope sedulo curavi, hunc relinquo: dein fugitivi manus paro ligare, ut videam quo se modo gesturus sit.

238. Is autem, genibus procumbens, summa humilitate manus offert, ut colligem, si velim. Id satis erat. Ego subridens funem retraho: ille rursus gestu demonstrat, velle se mihi servire: atque ego accipio. Iubeo in arena considere. Ipse sericam umbellam, fastus causa, effero, et sub hac compositus, in optima mea sella sedens, delibero quid faciendum.

239. Arbitror duos hos viros pro servis et pro amicis esse mihi a Deo datos, si horum possim et venerationem et caritatem conciliare. Utrumque arguo per me esse morte ereptum; quoniam ille alter ne stranguletur, id per me stetit. Utrique credidi novam prorsus esse vim iactus ignei. Igitur sperabam mentibus eorum posse me dominari. Decerno largam caritatem maiestate

temperatam adhibere. Protinus fugitivo indo nomen Elapso; alterum appello Secutorem.

240. Sed novus me incessit timor, ne Elapsus, cymba visa, evaderet remigans; quare remos primo recondidi. Porro, si domo solus abirem, vinciebam Elapsum; sed, domum reversus, non solvi modo, sed blandissime alloquebar, Anglica lingua prorsus garriens. Optimos dabam cibos, socium operis assumebam, industriam eius collaudans: multa docui, mox ab eo multa quoque didici. Vidi eum esse gratum et sedulo oboedire. Leni cum risu vinciebam eum; necnon ille ridebat, saepius osculabatur manus meas. Sed ante nundinas tertias pudebat me vincire, nec iam faciebam.

241. Iam quo magis ambobus augerem reverentiam mei, spectaculum iaculationis machinatus sum. Duas tabulas ostento ligneas: demonstro ambas esse leves, sine punctu vel incisura. Unam pone alteram apposui, modico intervallo; sic autem ut Secutor, quamvis claudus, aspiceret. Dein e parva pistola emitto ignem. Glans, transverberata priore tabula, defoditur in secundam. Igne ac detonatione territi eiulabant ambo: mox visa glande, Elapsus priorem scrutatur tabulam, et mirabundus Secutori demonstrat parvum, immo minimum, foramen. Nec alteruter audebat pistolam tangere. Ipsam rem volueram. Post paulo Elapsum per prospeculum meum aspectare feci; id quod eum admiratione commovet. Procedente autem tempore horologium meum ostentavi, apertis interioribus machinamentis. Talibus rebus credebam barbarorum mentes salubriter capi.

242. Iam magnam facio iacturam. Gnarus quantum barbaris noceant vina ardentia, anxius ne his aliquando depravati sint atque efferati, quidquid huius generis habebam, Deo invocato, effudi, praeter unam

lagunculam, quam idcirco in arcanis reposui, si forte pro medicina aliquando foret utilis.

243. Nondum memoravi, Secutorem bonis esse indutum sandaliis, Elapsi pedes nudos fuisse. Uterque praecinctorium gerebat, Secutor balteum quoque cum coryto sagittario. Sandalia illa e cortice erant plicata; Elapsus autem, dum sedet domi otiosus, a me quidem vinctus, sandalia propter meos usus imprimis, dein propter suos, e mea vetere materia confecit. Talem virum cur vincire oportebat?

244. Ego rursum illi dono vestem versicolorem, ex iis quas ex mare recuperaveram. Is accipit gratus. Post triduum video eum hac veste fulgentem: colorum splendor, qui aliquantum erat immutatus, integer redierat. Interrogo eum Anglice, unde hoc miraculum? Ridet ille, laetaturque, sed lingua nequit explicare.

245. Necnon omisi narrare, lacernam propter nocturnum praesertim frigus utrique me dedisse; id quod libentissime accepere. Etenim Secutor, qui ambulare nequibat, frigus si quod erat, graviter persentiebat; quare accuratius eum protegebam; et sane gratus animi videbatur. Ego autem multis signis doceo illos inter se amicissimos esse debere.

246. Tandem Elapsum in cymba mecum colloco, post matutinam pluviam. Mensis fortasse Februarius erat, serenum caelum, mare tranquillum. Ad tertium remigo sinum, ubi horrendum illud epulum vidi. Tum subit animum, foedas reliquias non esse amotas: nec fallebar. Ipso in loco ossa trucidati viri albescebant. Carnis reliquias aut aves aut insecta aboleverant; sed calvariam humanam quivis noverit: item spinam dorsi atque alia. Elapsus, pietate (credo) gentilicia motus, arena manibus

corrasa, omnes has reliquias quamvis maerens defodit. Mox ad alias res convertimur. Arbores ille magno contemplatur gaudio, fruticesque explorat diligentissime, folia multa asportat.

247. Ne longus sim, ut primum verbis explicare poterat, plurimos indicabat mihi fruticum atque arborum usus: hinc et oleo et funibus cito abundabam. Ex humili quodam rubo oleum hic mihi extraxit, itaque non iam confugiendum erat ad ricinum. Mox tria magni pretii indicavit legumina, inter umidiora convallis; primum, rapa maxima et optima, nostratibus solidiora et suaviora; deinde, quiddam e fabarum genere, grande ac bonum sane. De Aegyptiorum faba audivi. Nescio an haec et illa consimiles fuerint. Tum genus quoddam, ut putabam, cucurbitae; sed forma fere cylindrica, velut pulvinulum colore purpureo, optima cucumi praestantius. Postea idem oryzam detexit umidis in locis, quos ego evitaveram. Porro gossypion mihi retexit. Ex aliis rebus stuppas quasdam vel villos extraxit, cannabi vel lino pares.

248. Aliam quandam rem voluit Elapsus me docere, sed intelligere nequibam. Grandiores aliquot aves, quas ego phasianis rettuli dum propius praeter volant, ille manibus plaudens columbas et capras esse dicit. Primo sic interpretatus sum, ut diceret has edules esse, ut carnem columbinam et caprinam. Postea explicatum est, has aves posse domari et mansuescere, ut capras columbasque meas: de quo serius narrabo.

249. Itidem de palmis multa ille me docuit. Equidem noveram alias esse nuciferas, quas cocos appellabam; alias phoenices, vel dactyliferas, nanas illas quidem mea in insula. Iam disco, tertium genus et funiferum esse et saccharum praebere; caryotum appellari audio.

Mollissimi fiunt hinc restes, tamquam lora optime depsta, qui propter capistra iumentorum aut cingula possunt adhiberi, necnon propter balteos. Attamen ex aspero nucum villo robustiores contexuntur funes, crassae tegetes, scopae rigidae.

250. Quartum dixi esse oleiferum; id quod in Brasilia quoque audieram; anne prorsus eadem arbor sit nescio. Quintum porro nobilissimum, robore procerissimo et optimo, cuius folia pro umbella essent. Denique ex tribus generibus ad minimum, oleum, vinum, saccharum, ab uno ceram, ab alio farinam optimam, provenire. Sed me iuvabat, unumquidque inde sumere, unde minimi esset laboris.

251. Tam cito tot res Anglice Elapsus didicit, ut crederem posse me iam, hoc ministro, scapham reducere. Equidem in hortum eum deduxi, ubi multa me docuit: sed melius arbitrabar, ad reducendam scapham, Secutoris opperiri vires.

252. Ille ex vulnere convalescebat, et summam mihi demonstrabat reverentiam. Ut primum sine periculo reptare poterat, ad focum accedebat, rem culinariam observabat, paulatim ipse coquebat, et quae Anglice dicebam, coepit intelligere, etsi pauciora cum eo locutus eram, quam cum Elapso, qui mihi erat socius laborum. Glans plumbea sine dubio e crure eius exierat: nihil intus remansit, quare simplicior erat eius curatio, donec solide convaluit.

253. Quodam die Elapsus vitreas illas bullas capris detrahit, et, humillime me veneratus, meo collo circumponit. Ego ridens dolium ei ostendo, ubi plures habeo bullas; mox detractas collo meo capris paro reddere. Ille vero reclamat, obtestatur: tunc e dolio

aliquas delegit, quae lucentissimae videbantur; has significat mihi convenire. Minores quasdam ac minus fulgentes suo collo suspendendas rogat.

254. Quamquam primo irridebam, mox video rem non esse contemnendam. Non barbari solum, verum omnes homines regem suum vel imperatorem insignibus imperii decoratum volunt. Maiestati meae conveniebat, ut regium aliquod insigne gestarem. Itaque demum his bullis, quas pro regulorum Afrorum lenocinio imperaveram, equidem regium quiddam inesse opinor.

255. Si autem in regno meo ad res ordinandas gradus quosdam honoris constituam, Elapsus sine dubio summus minister regius esse debeat, et secundariis gemmis fulgere. Ingenium quoque eius versutius esse et capacius quam Secutoris cognoveram, ut erant hi viri valde dispares.

256. Elapsus gracilis erat, procerus, ampla fronte, micantibus oculis, vultu valde mobili, ore autem suavissimo. Secutor humeros latior erat, minus procerus, genis plenioribus, vultu non malo illo quidem sed tardiore. Crura, brachia, crassiora quam Elapsi, qui quidem vix summas suas vires attigerat. Hunc credidi tria et viginti annos aetatis habere, Secutorem triginta vel amplius. Ut, quae mei vicarius Elapsus iuberet, Secutor oboediret, profore credidi, si Elapsum, quasi magistratus insignibus decorarem. Itaque monilia illa, maiora et minora, mihi atque Elapso comprobavi.

257. Inter haec re fabrili Elapsum exerceo, usumque doceo omnis meae supellectilis. Iam intelligebat omnia fere quae dicerem, sed loqui vix conabatur, praeter aliquot vocabula negandi, affirmandi, approbandi, interrogandi. Artem ego ferraria neque exercueram

neque multum fortasse solus potuissem: sed quum ille de ferramentis curiosum se demonstrat, nova me ambitio capit, si forte, his ministris, ars quoque illa mihi serviat. Nunc explico tantum, per ignem et malleum rem confici.

258. Barbarorum uterque contexendis viminibus, iuncis, arundinibus, cannis, valde excellebat. Quidquid huius modi ego confeci, erat sane inhabile. Iam vero illi magnam mihi vim qualorum, corbium, fiscorum rapide contexunt, Elapso materiem harum rerum comportante; necnon, quod praesertim mihi cordi erat, idoneas perficiunt caligas textiles. Ut aquam excluderent, res nullius momenti videbatur, si lapidum ac saxorum asperitates, necnon insecta defenderent.

259. Secutor autem in re coquinaria excellebat. E cocorum nucibus placentas delicatissimas, item quasi florem quandam lactis, faciebat. Pisces, dioscoreas, maniocas, bananas, plurimas nuces ita conditas proferebat, ut nihil supra: etenim pro condimentis habebat ananassas, zingiber, piper et alia aromata, saccharum e palmis et oleum vel optimum. Mox, postquam inter silvas vagari potuit, aves plurimas insidiis capiebat; unde nullo nitrati pulveris dispendio, suave habebamus epulum. Porro fruticem invenit, cuius foliis in sole desiccatis aquam aspergebat calefactam: horum ius tepidum, saccharo admisto, praesertim cum flore coci lacteo, gratissimum fuit. Potionem foliaceam appellabam.

260. Saepius mecum deliberavi, anne satis tuto secures penes hos viros relinquerem: video tamen, si quid in hac re sit periculi, id fortiter dissimulando optime defendi. Si suspicionem fassus ero, pravum consilium ipse submonebo. Tela omnia amovere, quae possint esse lethalia, prorsus non possum. Si (quod minime est veri

simile) ambo homines in me coniurabunt, fortasse vix potero servari; nam igniaria mea tela surripient. Sed nisi coniurabunt, alteruter mihi auxiliabitur: nec credo alienari posse amborum animos, dum maiestatem ac vim meam benignitate tempero.

261. His rebus perpensis, quia lusus corporeus mentem levat, ludum gladiatorium decerno. Etenim si redeant barbari, si depugnare cogamur, meos viros velim totidem barbaris longe praestare; at si neque suas habeant sagittas neque fusili plumbo exerceantur neque gladiis bonis rem gerant, inferioris barbaris fiant. Igitur Elapsum protinus, Secutorem simul ac sanitas permisit, gladiatoriam doceo artem.

262. Vimineis quibusdam munimentis caput, humeros, crura protegimur, ut magna vi possimus sine periculo caesim ferire; et effusos ex ictibus habebamus risus. Postea ludum variabam, ne ulla ratione pugnandi deficerent. Sane ventrem, pectus, vultum protegere, si hostis punctim petat, longe difficilius est. Spissa tegete ac larva robusta armaturam concinnavi; sed ipsi viminea scuta fecerunt, quae, laevo brachio gestata, ictus repellerent. Video tamen hanc ludi formam, quantumvis obtusum sumas pro gladio baculum, oculis et ventri esse periculosam. Psittacus autem re gladiatoria abhorrebat cuncta, multoque cum eiulatu absiliebat.

263. Mox Secutor, qui suum retinebat arcum atque aliquot sagittas, pennis anatum ac ferreis clavis vult sagittas novas fabricari. Ipsius sagittis mucrones ex piscium ossibus erant, nam ferri sua in gente exstabat nihil. Clavos eos quotquot maxime viderentur idonei, libens dono; is autem valde peritum se ostendit, quum insuper limam et cultrum operi commodo.

C

264. At ego vel parvam catapultam magno arcui longe anteponebam, pigebatque me quod pessulum eius tractorium charta describere, nedum ligno fingere, tam difficile videretur. Sed calamis et charta designando meditor, experior, donec pessulum cum talo suo tandem recte excogitaverim.

265. Tum caprarum cornua, quae reservaveram, exquiro, et idoneum proponens stipitem caedo, sculpo, terebro: denique mollissimo e ligno, satis magna cum diligentia, rude et grande constituo exemplar: quo viso totam rem intellexere. Itaque ipsis opus remisi elegantius perficiendum; nec spe mea falsus eram, nam catapultas haud spernendas post paulo confecerunt. Ego autem glandes idoneas e plumbo confeci, sed spicula avebam.

CAPUT DECIMUM

266. Circiter id temporis statui scapham, si possem, reducere, ne vela prorsus corrumperentur. Elapsus autem iam satis intelligebat, quid iuberem. Malleum, clavos, serram parvam, argillam vitreariam, acus sarcinarias, funiculos, velorum aliquot lacinias, in mulctrali composui: haec Elapsus portat. Ego cibum, poculum, cultellum, pistolas porto. Flumen convallis vado transivimus, saxis adiuti modicis, quorum ope credebam pontem sine magno opere posse construi. Sic breviore cursu ad scapham pertingimus.

267. Primum vela expando, inspicio, tento: tribus in locis valde infirma esse opinor. Denoto, ubi resarcienda sint: id Elapsus strenue perficit. Interea mulctrali aquam pluvialem marinamque scapha exhaurio: fructus in aqua putrescentes vehementer aversor: subtus invenio solida omnia, nec quidquam rimarum esse timendum. Fabri ope non egent tabulae; itaque perfectis velis ingredimur.

268. Aura, sicut exspectaveram, adversa erat. Remigamus ex ostio, dein expansis velis, ad dextram excurrimus, gubernante Elapso, id quod optime calluit: ego iubeo et vela rego. Ut primum deflectendum in terram opinor, exclamo "Ad sinistram!" et protinus torqueo vela. Oboedit ille: scapha optime convertitur: tunc praecipuus meus decessit timor. Sine ullo periculi sensu primum illud exsuperamus promunturium, quamvis adversante vento, postea celerius proficiscentes praevertimur, denique litus intra cautes legimus usque ad portum meum, ubi in navale scapham laetus repono.

269. Ego autem Elapsum interrogo, "Anne bona sit scapha?" Responsum exspectabam, "Sic, sic"; vel "Bona, bona": sed admiror, quum ille clare ac deliberate

respondet, "Bona non est; bonam faciemus posthac". Iterum interrogo, "Cur?" Is vero quasi novam vocis facultatem exhauserit, nihil respondet nisi, "Sic".

270. Quod cibos collegeram et severam longe amplius quam quod mihimet, uni viro, erat opus, sane gavisus eram: sed quum Secutor, iniussu meo, in agello meo novam operam inciperet, iracundius paulo rationem eius rei reposco. Is humillime manibus ac vultu deprecans, "Sic optime" esse confirmat. Ego vero gaudeo, quod, tardior ingenio qui visus erat, per se possit bonas operas excogitare; nec diu est, quum video, in hortulo eum pariter atque in culina fore utilem. Iumentis idem gaudebat; inde spes mihi, fore ut ex diversis famulorum ingeniis cumulatior proveniret opera nostra.

271. Ut primum, sanato crure, natare ausus est, admodum gestiebat; nam propter teporem maris, nigritae omnes natandi sunt studiosissimi. Equidem post primum illum diem numquam in ipsum mare me committebam, ne intra cautes quidem; tanta me timiditas in solitudine invasit: in portu modo natabam. Sed cum Elapso etiam inter fractos fluctus amabam ludere; mox aqua, velut telo, inter natandum, aves grallatorias petebamus, quo in ludo acerrimum se Secutor ostentabat.

272. Oleo iam abundans, saponem facere volui; nec poteram Secutori, quid vellem, explicare. Algas vere marinas plurium generum cremavi: earum cineres oleo admistas igne lentissimo percoquebam, aqua calidiore circumposita. Item e mangarum fructu quum spissum quandam extraxissem resinam, hanc oleo commixtam itidem decoxi. Post aliquot experimenta, duobus modis saponem non ita malum confeci: tum omnem rem perspexit Secutor, meque in sapone componendo facile

superavit. Usum autem saponis edocui, atque exinde in curando corpore utebar.

273. Rideo sane, quum video quanta ille superbia aurigam se e traha iactet, in vilissimo quodam scamillo sedens, tribus iumentis vectus. Ceterum omnia quae imperaverim, recte perficit, usuque trahae impetrato, multas reportat radices cum ipsarum humo: has dividit aut circumcidit, fimum curatissime ingerit; demum satis magno cum labore amplum facit seminarium. Tum mecum arguo, si nimium praeparetur cibi, id minime culpandum, quoniam tres viri vesci e meo oportebit: item industrios homines non e suis laboribus effugituros; iam pro patria adoptasse hanc insulam.

274. Elapsus quoque suas inveniebat operas: atque ego, dum uterque mihi, quidquid iubeam, oboediat, gaudeo quod liberrima utuntur diligentia, neque socordiae sint amantes. Tamen ne subito defessi concidant, saepius excogitabam, aut ludo aut varietate, levamenta laboris. Remigando, piscando, gladiatoriis ludis, natando quotidie, telis et catapulta, ordinarium opus variabatur.

275. Tunc autem texendo vel plicando praesertim exercebat se Elapsus, nec quidnam conficeret, satis intelligebam. Ex cannis diffissis quasi tabulas complicat arcte reticulatas, iuncosque sic internectit, ut foramina concludat. Levissimum sane erat opus, quamquam firmum. Artem eius admirans, quaero tandem, quorsum haec spectent. Respondet, "Propter scapham, sed ferro quoque opus esse".

276. Amplius interroganti, totum suum propositum explicat, partim verbis, partim rem ipsam demonstrando. Ait, scapham in fluvio esse non semper malam, in mari cum velo plenam periculi; quippe quae neque fluctus

neque vim venti tolerare possit. Duplex opus scaphae esse addendum. Ne fluctus a fronte supercurreret, erigendam tamquam loricam in prora, dein praeter latera quasi alas expandendas, sed has firmandas ferro. Id mihi esse curandum, se paraturum cetera.

277. Admirabar hominis ingenium, nec tamen proram praealtam approbabam; ille vero negat sine his rebus vela profore. Mox ingemo, nescius quare, quorsum, quando, in magnum mare sim invasurus. Sed memet obiurgo: Cur tandem, priusquam hi viri ad te venerunt, tu tantopere hanc scapham fovisti? Agnosco oportere, in casus necessarie incertissimos, scapham quam robustissime reconcinnare, velis idoneam. Itaque de ferraria re etiam atque etiam commeditor, modo charta delineans, modo ipsa ferramenta colligens, comparans, examinans.

278. Inter haec libet cum Elapso caprorum scopulos visitare. Equidem semper timidus fueram, quoties ibi forem (nam inter saxa prospicere nequibam), ne novum quid atque infestum latens subito ingrueret. Fateor me, dum solus manebam, timidiorem in dies factum. Minus minusque me in densos arctosque locos volebam committere; sed aperta amabam spatia, ubi cuncta longe possem prospectare: idcirco quoque minus inter saxa caprina pervaseram. Nunc cum Elapso fortiorem me gerens, cum pistolis prodeo: ille sicam gerebat: explorare, non venari volo. Ascendimus tramitem; verna prata floribus suaveolentia praeterimus; locos notos recognosco. Mox longius penetrans, ab excelsiore quodam saxo repente novum gratissimumque video prospectum. Lacus longissimus, quasi amnis flexuosus, per passuum in fronte iacebat. Aquas quasdam vicinas antea notaveram; iam agnosco aut membra huius fuisse lacus, aut eius quasi cisternas naturales. In ora erant

herbae fruticesque viridissimi, uberrimum mitibus bestiis praebentes alimentum. Circa surgebant acclives scopuli, quibus decurrentes sine numero rivuli lacum replebant. Maxima vis hic versabatur aquatilium alitum tamquam sua in domo.

279. Dum haec me valde excitant, Elapsus antiloparum gregem viderat, magna cum delectatione: mihi in paludes aspicienti illud iam succurrit, fortasse has eius esse generis quod palustre appellatur. Sed nolo eas perturbare, atque ad mare potius duco, ubi iuga montium altius assurgebant. Lacum a septemtrionibus circumeo, inde pergens mare versus. Tandem, per scopulos enisi, mare non longe videmus, sed descensu asperrimo a nobis divisum. Subiacebat ora terrae, longula, palmis praesertim abundans; sed rupes ulterius ipsas in undas videbantur se praecipitare. Nullum sane portum hac in ora dispicio, quod orientem versus patebat. Circumversi, sed mare despicientes, redimus domum.

280. Ego vero, quamquam augescebant imbres, opera ferraria identidem exercebar. Incudem, folles, malleos, forcipes, e re tormentaria navis nostrae habebam. Fornacem de novo, famulis meis adiutus, decrevi exstruere, latericiam materiem residuam adhibens. Carbones e ligno parare uterque probe calluit. Mox, Elapso folles exercente, ego ac Secutor ferreolos calefactos tundebamus. Etiam calidum frigido pertundere docebam, dum Secutor forcipem tenet. Sic virgae ferreae, quales propter scapham postulabat Elapsus perficiuntur. Aliud post aliud paulatim conamur; primo multimodis clavos ferreos mutabamus - in hamos, in anulos, mox in spicatos anulos; sic plures in formas discebamus ferrum fingere. Tandem illi, re tota perspecta, significant, meo labore non iam esse opus: se huius artificii esse compotes.

281. Inter haec, magno sum dolore afflictus, occiso psittaco. Hunc accipiter quidam incautum excepit, neque ego ulcisci poteram, quamquam strepitum carissimae avis audiens. Sed antequam ignipultam attinerem, hostis cum praeda evanuit. Hanc sane rem aegerrime tuli. Quod postquam animadvertit Elapsus, solari me volens, psittacos non bonas esse aves dicit, alias quasdam longe meliores; neque dolendum esse, quando tanta mihi superesset avium pulcherrimarum atque utilissimarum varietas, quae velut caprae aut columbae cibatum ab homine accipere vellent. Tunc memini, eum tale quid de phasianis illis dixisse; mox interrogando comperio, ipsas has aves facile mansuescere et ova parere plurima: id quod libenter facio. Tum Secutori denuntio, si aliquot harum avium possit insidiis capere vivas, id mihi fore gratissimum.

282. Plurima per imbres parabamus. Catapultas in dies perfectius figurabant: loricam ego et alas scaphae summa cura maturabam. Scilicet Elapsus bitumine quodam opus suum perunxerat, ut aquam reicerent iunci cannaeque: a me postulabat ut compagem totam firmiter coniungerem. Alia quaedam in melius novabam, quae longum est dicere: - de supellectile tractoria, item de arcis penariis. Famuli autem mei operas quasdam inter se exercebant, de quibus non consulebar. Id me non conturbat, quoniam industrios sentio. Inter imbres pabula vel ligna colligunt, folia, cannas, alia reportant, fimum humo ingerunt, gregi inserviunt, natant, remigant, gladio vel telis se exercent. Sic dies praetereunt celeriter.

283. Iam Secutor ad me venit, veneransque humiliter ait, "Pessimos esse lepores: velle se occidere". Dioscoreas et maniocas ostendit, non corrosas modo, sed ex humo evulsas. Lepores si supra sint, "bonos" esse ait, sed "infra non bonos". Etsi parum bene loquebatur, intelligo quid

velit, et video non esse absonum. Attamen vexare mitissimam gentem, quam egomet tamquam colonos deduxeram, id nimis crudele puto. Tandem, multum reluctatus, esca atque blanditiis veteres mansuetosque parentes capio, et in pristinam caveam concludo. Ceteros ad arbitrium Secutoris abigi aut occidi patior.

284. Duorum iam ministrorum opera adiutus, paulo amplius poteram litteris me dare: id vero ipsum illi mirabantur. Aliquando quasdam res iis e libro legebam, si quid possent intelligere: post paulo id eos penetrabat altius. Nempe videbant, sibi esse aut suam aut senum aliquot quibuscum vixissent sapientiam; me ex libro plurimorum cognitiones ad libitum meum haurire.

285. Quoniam neque librorum habui copiam, neque otium iis esse poterat, litteras docere supervacaneum credidi; sed libere colloquebar multis de rebus. Illi autem, arrectis animis, studiose auscultabant. De meis fortunis aliquot res enarravi, denique de naufragio. Magnitudinem demonstravi navis et uberem rerum copiam, quam ex meris ruinis excepi. Talia dum narrabam, illi textilia continuabant opera et linguae meae in dies fiebant intelligentiores: id quod maximi sane erat momenti.

286. Tandem se aperiunt, explicantque quidnam elaboraverint. Regium mihi vestitum exhibent atque imponunt. Primum erat capitis decoramen, crista vel corona ex pennis multicoloris: hanc infulae meae superimpositum volebant. Dein teges dorsualis ex palmeis cannis atque harundinibus; quae sic erant dispositae, ut ipsarum colores pro pulcherrimo fuerint ornamento. Praecinctorium item erat ex mollibus iuncis, quod a ventre ad genu pertingebat. Tum calcei, ex palmarum fune supra, ex cocorum villo infra. E bullis

vitreis catellas fecerant, collarem talaremque: porro alias bullas aut vesti aut praecinctorio assuerant, tamquam gemmas. Talia fidelitatis documenta laetissime et benignissime accepi: sensi profecto, posse barbarica regni insignia multum valere, aut apud hos ipsos, aut apud alios barbaros. Decerno quotidie, finitis operibus, uno alterove horum me ornare; et si qua dies sollemnior videretur, gestare universa. Nunc, benignitatis ostentui, utrumque fidelium ministrorum super oculis osculor.

287. Longum foret si narrarem, quanta cum industria messem fructuum, radicum ac foliorum sua in tempestate collegerimus, tres viri cum tribus iumentis. Ego autem post biennium hac in insula iam factus sum temporum peritior: si vero antea ego nimium fui avidus, hi nunc meam aviditatem superant. Nec culpo, immo laudo et gratias ago, quod tam laboriose victum et delicias comparent. Pluviae, calores, procellae, fulgura, suo in ordine, velut anno superiore rediere. Demum, tempestate illa peracta, caeli serenitas rediit; atque illi sub auroram laborantes, scapham perficiebant praeseptam labrosamque. Dein post autumnales procellas prorsus finitas, ut ipso in mari probaretur opus, erecti sunt omnium animi. Velis accuratissime recognitis, varias cursus experimur formas. Pro saburra ponderosa aliquot saxa portabamus; haec cum ipsa ancora ita collocavimus, ut scapham male deprimerent; quae nihilominus se solidam stabilemque praestitit. In portum regressi, novam loricam exploramus, num qua laxetur vel firmitate careat. Sane plauditur ab universis.

288. Postridie coram me submisse veniunt, dicuntque, "esse quod velint orare: sperare se, benigne me auditurum". Impetrata venia, libere curteque explicant, "sine uxoribus vitam non bene transigi: velle se in scapha uxores ex adversa terra reportare". Id me sane

perculit: tot res in mentem irruebant; vultusque meus, ut credo, retegebat, quid sentirem. Breviter aio: "Omni in re me illis consultum velle; si possim, facturum; sed multa esse perpendenda, nec posse me illico responsum dare. Ad munia sua redirent, crederentque me de suo commodo anxie meditari".

289. De mobilitate et perfidia barbarorum multa audiveram. Memet interrogabam, anne idcirco regiis me honoribus cumulaverint, ut scapham furati abirent. Id vero posse nego; hi namque viri fuere hostes: uterque ad me quam ad alterum propior est. Tum si aufugere velint, quamne ad terram? anne ad patriam? sed patriae sunt diversae. Sed sint sane fideles: mene scapham meam cum meis ministris mari committere, domi sedentem? qui si fluctibus hausti numquam redeant, iterum sum orbatus, et peius quoque, spe abrupta. Melius arbitror pericula participare. At si omnes egredimur, quis gregem custodiet? quis fruges decerpet, servabit? Talia commeditatus, crastino die iterum colloquor.

290. Primum interrogo, Anne iam uxores habeant. Secutor abruptius respondet: "per me suam uxorem a se distractam": fuscus autem rubor, dum loquebatur, vultum oculosque implebat, in quo tenerum aliquid inesse putabam. "Mortuum esse se uxori suae", addidit; "quae, secundum gentis morem, iam alii viro sine dubio nupsisset; quoniam, se vivere, nemo suorum posset credere". Recte eum dicere iudicabam. Mox Elapsus humescente oculo incertaque lingua respondet, "sibi virginem quandam fuisse desponsam, quando ab hostibus surreptus esset". Nihil ultra addidit.

291. Deinde interrogo, unde velint uxores petere? ab Elapsi patria an a Secutoris? et quo signo cursum in mari possint dirigere? Respondet Elapsus, "Secutorem ad

ipsius patriam nolle reverti: id uxori eius fore crudelissimum: Elapsi patriam ambo petituros. Ceterum si vento favente hanc insulam ipsa vespera relinquant, cum luce terram continentem propius visuros, cunctam sibi satis notam; deinde, ut primum popularibus suis aspiciantur, his approbantibus ad terram appulsuros". Talia quum audiissem, respondi: Recte se res habere; sed amplius esse ponderandas.

292. Vespere post operam, ad rem redeo, interrogans: "Quis autem tot buccis cibum dabit, si hac in insula quinque erimus, - tres viri, uxores duae?" Tum Secutor arridens ait, "Octo hominibus, satis esse iam cibi, superque." Elapsus autem, genibus meis provolutus, dextram osculatur, oratque, "ne irascar; sed amplius quiddam illos in animo habere". Interroganti mihi, "Quidnam igitur?" respondet: Matrem suam esse mortuam, fratres occisos: velle se, si possit id fieri, patrem suum huc transvehere. Hoc quum dixisset, vultum meum sollicite contemplans, addit: "Numne aliud quiddam audeam dicere?" "Perge:" inquam. Tum dicit, "Nescire se, quis sit uxorem daturus: posse autem fieri, ut parens, qui unam habeat virginem filiam ita velit dare, si cum ea sit iturus. Anne ego nolim insulam meam frequentari?" Res ipsa non mihi displicebat: quamquam id quoque reputo, cavendum esse, ne nimia barbarorum frequentia ipse in servitutem redigar. Ergo benigne respondeo, de tot novis rebus considerate cogitandum. Illud tantum affirmo, si proficiscentur, me socium periculi habituros.

293. Postridie eis annuntio, "gratissimum esse id mihi, quod tam longe prospexerint tamque industrie laboraverint, praeparantes cibum, instrumenta, materiem, ipsamque scapham. Talibus viris, quidquid restet ardui, sperare me fore pronum; sed priusquam aliis de rebus

dicam, illud apprime necessarium, ut nostram nos insulam exploremus, antequam in casus maris committamur. Hoc enim stare mihi certum, ut non sine me navigent. Iam si procella ingruat, si vi venti in aliud insulae latus detrudamur, quid ignavius, quam non nosse portus, litora, rivos, ubi tuto recondamur? Circumnavigandam insulam, indagandas profluentes maris, tentandas bolide profunditates, notandas in charta montium formas, priusquam in incerta maris ruamus". Haec quum dixissem, illi primo vix intelligebant; sed postquam bis terque explicavi, tandem aequissimis animis decretum meum acceperunt.

CAPUT UNDECIMUM

294. Post hos sermones uterque magis magisque in operas ruit. Vestitus nuptiales ac dona sponsalia credebam praeparari. Cannarum, arundinum, iuncorum, restium vel filorum, pinnarum plumarumque magnam vim comportabant. Postea explicatur, patrio Elapsi regulo plumatam vestem ac dorsualem tegetem pro dono destinari. Id quum intellexi, e vitreis meis bullis plures obtuli, ut pro torque collari essent: has accipit Elapsus libentissime. Video quoque lectorum opercula vel stragula e mollibus iuncis contexi: igitur versicolores vestes quas habebam fulgentissimas in sponsarum usum dono.

295. Ego vero bolide (quam Graeci vocant) quaesita; - etenim plures in nave fuerant - saepius cum alterutro virorum egrediebar longius, interdum in cymba, si valde esset serena tempestas, quia tum remis certior est cursus. Tunc totam illam oram quae Caprino Iugo subiacet, satis exploravi; nusquam patebat scaphae receptaculum: sed colles accurate delineavi, ut locos posthac recognoscerem. Necnon cum ambobus in scapha egressus, oram adversam iuxta hortos ulterius visitavi; quidquid de litore, de profunditate, de montibus erat notandum, id conscripsi, notatis caeli regionibus. Necnon unicuique montium nomen indidi aliquod, cum sua figura descriptum.

296. Quum die quodam in hortis cum Elapso permansi, Secutore domum misso propter varios usus, per inferiora prata diligentius exspatiantes, oryzam invenimus in uvidiore loco late crescentem, ubi numquam antea incesseram. Hanc rem credidi posse aliquando magni esse momenti.

297. Postridie quiescente aura, excurrimus in cymba usque ad portum hortorum. Montem illum altissimum iudico praecipuum esse oportere locorum documentum. Quare a tribus lateribus figuram eius accurate delineo; tum credidi, me, si hac in parte insulae forem, in die quamvis nubilo, posituram meam agniturum. Cautes quoque, si quas viderem, scripto notavi.

298. Profluentes maris multo erat difficilius observare vel coniectare; nam aestus diurnus atque aura conturbabat rationes meas. Insulam a septemtrionibus praeverti non ausus sum. Multa navigando expertus, tandem despero de profluentibus cognoscendis, nec valde perturbor, sed de hac re reticui.

299. Domum revertenti delicatissimum mihi prandium apponit Secutor, ex avibus grandioris membratim concisis. Genus avium nesciebam: num otides esse possint, dubitabam. Ille explicat, eas esse ex hoc genere, quod mansuefactum volebam; sed hactenus nullam se cepisse vivam. Neque ille neque Elapsus vult vesci: sed postquam finivi, vescebantur. Tum interrogo, quidnam de grege possit fieri, si nos omnes peregrinamur. Tacent paulisper; mox Elapsus respondet: "Si faveant aurae et Fortuna Maritalis, triduo nos posse reverti. Solvendum esse gregem, compedibus fortasse vel obicibus praepeditum. Quando redeamus, fistulae cantui oboedituros: sin minus, si forte haeduorum aliquot amittantur, ferendum damnum. Nos e colle caprino novos haedos, si libeat, venari posse; uxores non posse." Quando haec serio ac deliberantissime dixit, vix risum continui.

300. Sed pergo interrogare, quot remos habeamus scaphae. "Duos tantum," respondent; eos nempe quos egomet fabricavi. Id sufficere nego: quippe si aura

deficiamur, fortasse remigantes tres viri quattuor remis novum assequemur ventum, sed duobus utentes remis in stagnante aere haerebimus. Novos remos, clamant, caedendos; id quod ego comprobo.

301. Tum alium inicio scrupulum. Si barbaris foret confligendum, ego ignipulta pistolisque valeo; ministri mei comminus gladio bene pugnant, sed eminus a barbaris superantur. Nam neque multas habent sagittas, neque multum in hac arte sunt exerciti: porro si maxime essent sagittarii, duo viri a multis facile obruuntur. Melioribus opus est telis, - Hic pausam facio.

302. Illi primo tacuere: tandem invito sermonem. Elapsus timide interrogat, "anne sciam, quot habeamus in usum catapultarum praeparata spicula missilia?" Tum respondeo, "Ego certe nescio." Ille vero, tamquam veritus ne me reprehensione corripiat, tacet iterum. Sed Secutor, paulo audentior, testatur, "non posse illos portare spiculorum iam confictorum pondus: plura configere inutile esse: quod genus telorum sit melius, se nescire, nisi si ignipultas denotare velim."

303. Sensi me errasse; nam nolui igniaria tela tunc eos edocere. Itaque benigne dixi, "industriam illorum omni laude esse dignam, meque gaudere, quod tantam haberent spiculorum vim: sperare me sine proelio aut iurgio nos redituros; sed quotidie catapultas exercerent, et tot uterque secum assumeret spicula, quot res ipsa permitteret." Tali responso contentos se demonstrabant.

304. Caesis duobus cocorum truncis, dissecamus, dolamus, in remos fingimus; - nam quattuor remos placebat conficere. Variata opera ac ludo, in labores reficimur, aemulatione ac spe erecti. Haec inter negotia multum colloquimur. De ipsorum patria interrogo viros,

numne earundem rerum sit ferax, quae hac in insula gignuntur.

305. Illi explicant, fere contiguas se habitasse regiones, scopulosa ora divisas, quae ipsos propter scopulos ab utrisque concupisceretur; hinc illos internecivis involvi bellis. Nam ceteram suorum terram ex mera humo consistere, molli, uvida, arboribus fruticibusque uberrima, sed siccis solidisque locis carente: porro per inopiam ferri optimum lignum minus esse utile; igitur saxo destitutis nulla esse domorum fundamenta.

306. Domos gentilicias, ut plurimum nidos, esse, inter ramos arborum contextas, ut ab udo solo submoveantur, praesertim tumescentibus fluviis. In uvida calidaque illa humo proceras nasci arbores, egregios fructus; plura tamen genera meis in montibus vigere, quae illic uvidus calor non patiatur. Interrogo, Habeant-ne uvas? "Habebamus," inquit Secutor, "sed gustu his dispares: nihil erant nostrae, nisi dulcis quaedam in ore aqua." "Ergo," inquam, "tu exquire, quidnam e siccatis nostris uvis sit optimum, quod patri sponsae tuae des dono." Arridet.

307. Tum in Elapsum conversus: "Tuane in patria nuptias tam celeriter perficiunt, ut parens tribus horis unicam filiam viro ignoto foras ducendam tradat?" Paulum pudibundus respondet ille: "Si pater domi relinquendus erit, non potest id fieri: sin pater cum filia sit iturus, potest nonnumquam. Atqui neque ego inter meos sum ignotus, et propter me confident Secutori. Te autem regie vestitum postquam viderint ac vim telorum noverint, audierintque a me qualis et quantus sis, quidlibet mihi tui gratia concedent." Dubitabam, mera-ne esse hoc adulatio, an veritas; vera tamen eum dicere, libebat credere.

308. Mox e Secutore quaerebam, quapropter ipse atque ipsius populares ad insulam meam tunc pervenerint et numquam alias. Rem ab initio narrat. Scopulosa illa regio erat ab alteris occupata: hinc coeptum est bellum. Quisquis hostium erat in praesidio, comedendus destinabatur: id gravissimum iis supplicium. Inter alios correptus est illic Elapsus. Sed patriam versus redeuntes oppressit procella, quae duas scaphas in apertum mare abripuit. Totam noctem frustra luctati, summo mane insulam meam non longe viderunt. Volentes neque venere neque iterum venient; nam ignei mei teli vis pro fulgure praestigiatoris divini sine dubio nuntiatur.

309. Tum volo scire, utrum hic esse insulam prorsus nesciverint. Tum Elapsus confirmat, montem insulae excelsissimum interdum distingui; sed non vacare ut mera curiositate mari se committant, - tumido, an tranquillo. Percontor, numne caro humana propter libidinem palati exquiratur. Ambo vehementer negant: in ultionem summae iniuriae, idcirco tantum aiunt quasi religiose comedi.

310. Mox Secutor urget, ut diserte dicam quo die velim navigare; nam certum se habere, benigna mea verba pro factis valere, nec velle me sine causa diem proferre. Tum video decernendum esse sine ignavia diverticulorum. Respondeo, si cuncta parata sint, intra triduum nos profecturos. Rursus interrogat, anne velim eum omnia, quae victus causa sunt commoda, praeparare: ego autem assentior.

311. Crastino die, dum aliis in rebus absum, Secutor haedum iugulat, sanguinem in agello suo diffundit, cornua reservat, membra discerpit; alia coquit, alia suspendit in fumo. Ungulas Elapsus pro glutine arripit, pellemque incipit patrio more depsere. Haec rediens

invenio obviam; sed neque probo neque culpo, quoniam veniam meam praeripuerat Secutor.

312. Ad Elapsum conversus quaero, anne sua in patria tales sint capri, sive aliarum pellium abundantia. Respondet, apud suos abundare ursulos, porcillos, immo porcos varii generis, macacos, sciuros, et quadrupedes capris meis pares, paene aquaticos; ex quibus pelles diversas habeant; porro formidandos sed raros pardos, quorum pellis optima sane: item audisse se, longe inter scopulosos colles capros fere huiusmodi existere: se numquam vidisse. - Libet me talia sciscitari et colloqui.

313. Post biduum mihi nuntiant, parata omnia: occidente sole navigandum. Hic nuntius me quasi stupore defixit; nam mille res prius videbantur conficiendae. Sed video me multa imperasse: nunc dicto oboediendum: ergo de bellico apparatu primum satago, postpositis rebus ceteris.

314. Mox reperio Secutorem lepores meos occidisse, coxisse, sub crustula condidisse. Vultu angorem demonstro: sed ille, me commotum sentiens, humi considit tacitus, reprehensionem (credo) expectans. Demum fracta voce ait: "Paenitet me, siquidem te, ere, laesi." Tum suspirans dixi, "Mutari non potest: fortasse non male fecisti: ceterum ne canem meum occidas. Ego vero tibi ignosco."

315. Ne longus sim, fere Nonis Novembribus, sub noctem navigamus, nunc remis, nunc aura adiuti. Astris facile dirigebatur cursus ad meridiem. Quum vento tranquille ferebamur, quieti me dedi, iubens, si quid mutaretur, expergefacere. Ante lucem stagnavit aura; tunc evigilo; iubeo remigare.

316. Orto mox sole, Elapsus grumos patrios procul agnoscit: uterque maestior videbatur: susurrabant inter se. Sed Elapsum dormire iubeo: ego cum Secutore propello scapham. Post horulam video Elapsum propter inquietam mentem non posse dormire; itaque Secutori impero somnum. Quando intra conspectum venimus, Elapsus in malo erigit signum, apertaque arca, regiis vestibus me exornat. Tum extracto cibo vesci hortatur. Secutor mox evigilat, et vescimur omnes, cane non invito.

317. Iam linter a terra cautius appropinquat: tres inerant viri: credo, quia nos eramus tres. "Quid autem te tui cives vocant?" Elapsum interrogo. "Ego apud eos" inquit, "sum Gelavi." "Dehinc ergo apud me eris Gelavius," inquam. "Ego vero apud meos eram Totopil," infit Secutor. "Ergo tu," inquam, "eris Totopillus." Dum risu et alloquio oblectamur, accesserat linter: mox noster Gelavius nescio quid clara voce pronuntiat. Illi gestientes strepunt, proxime accedunt, me mirabundi aspectant. Postquam iterum peroravit Gelavius, illi rapide ad terram remigant, nos sequimur tardiuscule. Tandem, iubente Gelavio, ancoram iacimus: me viri mei, honoris causa, humeris suis in litus deportant. Stratis tapetibus, consido: sericam meam umbellam Totopillus super me praetendit; Gelavius evanuerat.

318. Opperimur reditum eius. Redit demum cum caterva magna. In fronte erat ipse, cum seniore viro et virgine. Tum me compellans ait, "En pater meus! En unica soror!" Pater genua mea manusque fervide osculatus est, virgo quasi venerans constitit. Mox Gelavius cum Totopillo verba secreto habet, post quae intimos credidi sermones misceri. Interea tota nobis caterva circumfunditur, mox ad scapham se convertit. Id me aliquantum commovet. Gelavius autem multas res, dona principi effert; dein ignipultas meas cum sacculis

subsidiariis: mox Totopillum video scutulum pro meta erexisse.

319. Quinque iuvenes cum arcubus astabant. A viginti passibus sagittas ad scutulum direxere; nemo medium ferit, nemo per tabulam penetrat. Deinde Gelavius et Totopillus a triginta passibus e catapultis iaculantur. Hi et iustius collineabant, et altius penetrabant: facile erant victores. Postea ad me venerans accedit caterva, orans ut ignipultae ostentem vim: tum multo cum honore ad carcerem ducunt. Quinquaginta passus metari iubeo: bitubam meam sua cum furca comportaveram. Demisso genu, bis ignem eicio: utraque glans medium transverberat scutulum. Eiulabant territi, mox murmure collaudabant: deinde magnum erat silentium. Gelavius tunc cunctis explicat, his telis se per me fuisse servatum.

320. Inter haec Gelavii pater cum filia coram me redit, Totopillus autem pro interprete mihi explicat, velle illum se suamque filiam fidei atque insulae meae committi. Tum ego abruptius Totopillo, "Ego-ne hanc pro tua uxore mecum reportabo?" Is autem erubescens annuit: "Here! Reportabis sane, si libet, et uxorem meam et patrem uxoris." "At vero," inquam, "principi oportet me obviam venire honoris causa, nec tamquam clanculum abire." Respondet Totopillus, "Immo, id principi foret ingratum. Ille neque tibi vult offensam afferre, neque nimio erga te honore se suis elevare. Sed donis Gelavii placatus, honorificam coram multitudine de te fecit mentionem."

321. Iamque accurrit Gelavius, excitatus ut numquam videram. Hic secum habebat virum ac mulierem cum virgine. Me recta petit, et rem omnem aperit. "Ellam! Quae mihi erat desponsa. Propter mei amorem nondum voluit nubere: en pater materque eius! Tu-ne nolis, O ere!

Hanc meam familiam mecum revehere? Omnes sunt tui cupidissimi." "Ego sane volo," inquam: "sed quot post horas?" "Iam sunt parati," respondet: "ad tenuem comportandam supellectilem vix semihora opus est."

322. Fateor, haec mihi nimia erant: velut in somnio esse videbar. Tandem ministris meis dico: "Quod bene vertat Deus, ex intimo pectore gratulor vobis. Nunc, ne tempestas se mutet, quam celerrime redeamus." Illi cum senioribus colloquuntur; tandem renuntiant, tribus post meridiem horis esse navigandum. Id admirans, aio non posse fieri. "Immo," aiunt, "sic erit melius, ipso te iudice."

323. Video alias aliasque accedere lintres, et multa inter se parare. Praestituta hora scapham ingredimur, quinque viri, una mulier, duae virgines, cum cane optimo, quem pueri valde mirati sunt. Hospitum unusquisque spississimas suas vestes indutus est; stragulas quoque in scapha composuerant. Aura paulum erat adversa; sed octo lintres cum robustis remigibus nos fune trahebant, tribus horis amplius. Simul ut Auster ventus flabat, Gelavius, multis actis gratiis, bonos remiges valere iubet, munusculo quoque unumquemque proretam honorat, sed tanta res tradidit celeritate, ut, quid dederit, nesciam scribere.

324. Excusso remulco, velis navigamus. Gelavius clavum tenet. Illud tantum narrabo, me propter concitationem mentis non potuisse dormire; Gelavium, qui prius non potuit, post aliquot horas dormivisse optime. Iucundissimam sensi noctis auram, et de futuro meditabar, non sine precibus ac gratiis Deo oblatis.

325. Prima cum luce montis nostri figuram agnosco. Tandem Austro cessante, Subsolanus ventus surgit

vehementior, torquetque nos nimium ad sinistram. Equidem nolebam tam pretiosum onus vel minimo periculo committere: igitur, quoniam nemo omnium erat invalidus, in hortorum portum direxi cursum. Ibi sumpto matutino cibo, scapham Gelavio commisi, cum patre, quando faveat ventus, circumducendam: ego cum ceteris domum revertor, colles escendens. Nos ante meridiem cavernas assequimur: illi serius perveniunt.

326. Summam autem rupem dum pervadimus, fistula canendo recolligo gregem. Desunt duo tantum e iunioribus. Hos crastino die Totopillus acerrime anquisitos recuperat, cane adiutore. Sic illa res faustum habuit exitum.

CAPUT DUODECIMUM

327. Nomina novae familiae hic libet narrare. Gelavii pater erat Pachus, soror Laris. Sponsa autem Gelavii Fenis appellabatur; huius parentes Calefus et Upis. Upim credidi vix amplius quadraginta quattuor habere annos, et neque Pachum neque Calefum exsuperare quinquaginta. Biduum praeparandis nuptiis destinatur; quae quidem omnia ipsis relinquo. Nuntio tamen parentibus per interpretes meos, - si quid vestis apud me sit, quod utendum velint sumere propter filias suas, vel si quae de cavernis videantur pro cubiculis commodae, ne graventur quidvis me rogare.

328. Inter haec maximo cum gaudio accurrit Totopillus, nuntiatque se alites tres, ex eo genere quod posset mansuescere, cepisse vivos. Atqui non erant phasiani, neque, quantum ego poteram intelligere, otides; sed nostratium gallos gallinasque potius referebant, quamquam longe erant grandiores augustioresque, ac sane splendidi. Equidem Gallum Indicum pro nomine indidi. Libenter credebam, hoc avium genus numero ovorum apprime excellere: tum mansuefacienda decerno. Mas unus erat, duae feminae: nesciebam, anne pares numero coniuges esse deberent: sed Totopillo imperavi, asservaret omnes summa cum sedulitate, daretque operam, ut proles gigneretur plurima ac mansueta. Ipsum erat genus alitum, quod olim mihi Gelavius denotaverat.

329. Quando autem fructuarium meum intro, fures ibi video res despoliasse. Cocorum aliquot nuces, sacculo quodam disciso, abreptae fuerant: id sine dubio macacorum erat opus. Atque antea, me absente, unam nucem surripuerat macacus, neque, qui rem vidit Totopillus, poterat prohibere. Alias res mire disiectas suis e locis invenimus: feles inculpat Totopillus.

Equidem non credo: sed ille urget vehementer, petitque ut liceat unam reservare felem cum pusillo mare, ceteras abigere: ego vero, ne nimium adversarer, tandem permisi.

330. Exploratis cavernis, tres pro coniugalibus cubiculis destinantur: sed quoniam opera quaedam prius videbantur necessaria, meo ipsius cubiculo cedo. Hoc atque museum novis nuptis permitto, fructuarium Calefo et Upi: ego in armamentario dormio. Nuptias suo fere in more transigunt: sed postquam uterque pater sponsum sponsam suam osculari iussit (id quod sollemnes caerimonias mihi videbatur terminare), ego, indutus regium vestitum, peroraturus assurrexi, iussique Gelavium interpretari.

331. Dixi me, Dei nomine, in meam eos insulam convexisse, ut forent beati, me regente: ceterum obsequentiam postulo: iamque imprimis, mea lingua est ab omnibus perdiscenda, et quantum fieri potest, semper dehinc hac in insula audietur. - Tum Gelavio et Totopillo impero, ut prandium nuptiale apponatur. Post prandium, in rupem ambulabant, mirantes insulam. Vespere, obortis tenebris, e corrupto pulvere nitrato aliquot ego pyrobolos cremavi, gestientibus barbaris. Sic confectae sunt nuptiae.

332. Iam ego Upi matres antilopas, a cane vigilanter custoditas, demonstraveram, et de mulgendi arte conatus eram explicare. Ea curam lactariam acerrime suscipit: duae autem erant matres cum haeduleis, nec multum sane exspectabam lactis, quamquam corpore erant grandiores. Eadem cassavam panem ex manioca et tapiocam optime conficiebat. Mox Calefus pollicetur nova vasa fictilia, ac meliora quidem, se facturum; atque ego de caseo, de butyro, de lactis flore, quidquid noveram, per Totopillum communico, sed caseum praesertim censeo faciendum. Item plumbum

liquefactum, ad vitream vasorum superficiem quantum conferat, demonstro.

333. Pachus instrumenta agri colendi atque omnem rem ferrariam vehementer admiratur: mox per Gelavium edoctus, princeps evadit faber ferrarius, item agricola. Calefus operam figulinam, lorariam, funariam potius exercebat; materiam quoque caedebat libens. Totopillus, ut antea, culinae se dabat: item calo erat atque auriga, et hortulanus et lanius et auceps. Multam hic habuit in condendis decipulis peritiam. Numquam ego ne unum quidem cuniculum resticulis potui capere; at Totopillus porcillos plurimos, aves innumerabiles, laqueis convolutis aut suspensis capiebat: hinc illae cenarum deliciae, illa pennarum plumarumque copia, quam miratus eram; hinc nuperrime gallus Indicus cum gallinis. Etenim Gelavius patrio suo regulo vestem pulcherrimam, e multicoloribus avium plumis contextam, dono dedit, qualis in Anglia caballi pretium afferret.

334. Video porro me ipsum, velut in Brasilia quondam, oportere nunc pro operarum praefecto esse. Nauticam quidem rem ipse pro me suscepi; sed in nendo e foliis filum, in complicando cannas, iuncos, - multa faciebant feminae. Linamenta lucernarum torquent, oleum palmarum exprimunt. E lignaria fabrorum arte pleraque iam Gelavius exercebat et quidquid iuberem, perficiebat prudentissime. In viminibus cannisque contexendis peritissimi erant omnes. Hic autem loci affirmare oportet quid de barbaris sentiam, non omnibus, sed multis, quos nos Angli nimium contemnimus. Erras valde et pessime consulis, si longe ex ipsorum consuetudine velis eos detorquere; attamen hunc errorem si declinas, - si aperte ingenue fideliter iuste agas, - multo fideliores tibi erunt quam quis putaverit; mox miram sagacitatem, gratos animos generososque, aliasque virtutes neutiquam

spernendas deprehendes summam inter barbariem. Nos autem - heu lugubri fato! - nostra communicamus vitia, illosque dediscimus nativas ipsorum virtutes; dein incertis ex causis inimicitiae insurgunt, donec hostile odium mitia commercia pessumdet.

335. Prima autem mihi cura post nuptias erat, ut res comparatas melius ordinarem, unamquamque suo in loculo. Novas ut ollas largioresque praepararet Calefus, urgebam, argillamque unde haberet, indicavi. Ego autem, quoniam veteres non sufficiunt arcae, maius quiddam, armarii instar, cum mensis interioribus, condo. Fores illas diaetae nauticae principalis, quae supra biennium apud me iacuerant, pro huius armarii foribus adhibeo. Illud opus me per sex dies exercuit. Totopillum iussi curatissime deligere, quid primum deberet consumi, quid in saccharo conservandum, quid per se posset consistere. Is autem dioscoreis, maniocis, cucumibus in novo agello per se dedit operam. Quoties aliquid aut piscium aut carnis erat consumendum, plures didicerat reservare reliquias, quibus elixis propter canem ac feles massae farinulentae vel alius cibus gustum derivarent idoneum.

336. Mox de oleo ac saccharo erat providendum, deque sagone (quod appellant) et de cera palmarum. Palmis aliquot succisis, aut farinulentam medullam aut ceram habebamus: folia, cannas, stipites, ad suos quidque usus adhibemus. Maximam autem et olei et sacchari copiam iam nunc censui parandam. Saccharum Gelavius, optimum illud quidem, e palma quadam affatim detulit: Borassum Flabelliformem, ut nunc audio, appellant arborem.

337. Post haec de agricultura dubitabam. Zeam quam maxime accurandam opinabar. Oryzae plantas in hortis dixi invenisse Gelavium; sed illam culturam minus esse

salubrem credidi, nec posse nisi uvidissimo in loco exerceri. Attamen Pachus et Calefus orant, ut sibi liceat hanc rem administrare: itaque ipsis remisi, simul indicans zeam a me oryzae anteponi.

338. Pachus in cavernis ordinandis strenuum se praebet. Feminae, adiuvante Gelavio et materiem suppeditante, in vestibus nectendis valde erant industriae; mox dato sapone, vestimenta lavare edocui. Tandem, post duos fere menses, tota mea familia suas habebat sedes, satis ornatas, suasque operas.

339. Tantis adiumentis suffultus, poteram esse otiosior, immo segnior: nec laetior tamen eram. "Quorsum haec?" interrogabam. "Num tota mea vita sic est degenda, - res opimas colligendo, consumendo? An meliorem aliquam religionem potero his barbaris impertire? Tentandum est fortasse: sed linguam meam imprimis perdiscant oportet. Anne horum opera ecquando patriam recuperabo meam?" Talibus exercitus cogitationibus maestior fiebam ac taciturnior: id vero sentio pessimi esse exempli. Etenim nisi multum colloquar, ne Gelavius quidem nec Totopillus garrient Anglice; tum ceteri non poterunt discere. Statuo fabellis ac narratiunculis, quoties cenamus, abundare; et, cum Gelavio imprimis, item cum Totopillo, de religione sermones habere seorsum.

340. Equidem iam pridem de mea ipsius historia quaedam, praecipue de naufragio, illis narraveram; sed plurima tunc parum intellexere, atque iterum audire avebant. Nunc autem primum clare dixi quondam fuisse me Mauri hominis barbari servulum; id quod animos eorum adeo perculit, ut singula quaeque audire cupiverint magnopere. Ego autem quae plures per dies tunc narravi, non celarem lectorem meum, nisi dictu longiuscula forent. Profecto illa servitus crudum meum

et praeferocem animum salubriter mitigavit; et quoniam erum non crudelem habui, multa tum didici sub Experientia magistra. Porro illa in terra caloribus assuevi, immo robustior fiebam. Sol orae Marocanae, nostro longe acrior, aura Oceani temperatur, neque nobis est insaluber, modo caput fascia sindonis involvas, et vino abstineas prorsus. Illic quoque plurima didici de frugibus, de oleribus, de fruticibus, quae postea erant utilia. Plurimas res item minore didici apparatu facere, quam quo apud nos fiunt. Quippe ferramenta agrestia, domesticam supellectilem, instrumentum culinae, pistrini, fabricae, - offendi illic rudiora omnia; sed Necessitas inventrix multa simpliciter conficit, quae fato quodam meo discebam. Denique ipso industriae fructu superbiens, strenuus operis evasi, versutus ad excogitandum patiensque laboris.

341. Sed ad rem redeo. Aliud quoque iam aequum videbatur. Quoniam continuus labor ad vitam non iam erat necessarius, festique aliquot dies ipsis barbaris assolent, septimus dies (quem primum vel Domini diem appellamus) Christianorum more debebat tandem distingui; ex quo religionis aliqua posset cura exoriri. Itaque Kalendario meo recensito, quisnam sit "dies Domini" discerno: tum subditis meis edico, ut festus sit hic dies: quo die item coram me post matutinum cibum congregentur. Ego regium monile gerens, precem brevem Numini Supremo pronuntio, ut suo halitu mentes nostras purget; illum quoque ipsius propter virtutes adoro: postea litterarum rudimenta cunctos doceo, ut novam linguam profundius animis defigam.

342. Si pluvia cadit, in museo congregamur; ego in tabulam ligneam creta scribo: sin serenum est caelum, ubi arena subtilis ac plana est potissimum, ibi radio maximas designo litteras. Ea imprimis vocabula, quae

saepissime pronuntiantur, docui scribere, ut nomina rerum, Homo, Vir, Femina, Canis, Panis; ut verba communia, Fac, Dic, Da mihi, Veni, Abi; ut pronomina, Ego, Tu, Nos, Vos, Hic, Ille, Sic. - Primo quidnam vellem faceremve, parum intelligebant; sed quum idem sonus eadem cum littera saepius audiebatur, sentiebam eos excitari. Gelavius primus orabat, ut sibi liceret rem iterare. Dein incipit a Me, Te, Se; item Nos, Vos, Hi, Hos, Sic, Dic; et postquam bis terque est a me edoctus, optime perdidicit brevia vocabula tot, quot omnibus elementis comprehendendis sufficerent. Mox ego totam litterarum seriem, in parva charta conscriptam, ipsi trado.

343. Gelavius sane et Totopillus, qui quae dicerem intelligebant, longe celerius ipsas discebant litteras. Hos amplius in dies edocui. Proximo die Dominico ceteris ipsi praecipiebant. Tandem furor discendi cunctos pervasit magnus, quando hos viderunt et intelligere et pro magistris esse: sed multa non poterant legere, qui paucissima vocabula noverant.

344. Mox a me exquirit Gelavius, ex quanam re conficiatur charta. Ego de papyro, de lino, de gossypio facio certiorem; explico item de membrana sive pergamena. Multa postea folia grandiuscula ad me reportat, siccat in sole, premit, levigat; iuncos item aqua maceratos contundit, gummi miscet, explanat, chartas meas imitans, sed parum res cessit: tandem e praegrandibus palmae cuiusdam foliis satis bonam censet haberi chartam. Dixi huic harundines ac pennas avium pro calamis scriptoriis sufficere, pro atramento sucum sepiae; gummi addendum, si liquor in charta nimis difflueret. Ille confirmat, numquam sibi defuturum scribendi instrumentum, modo artem ipsam mente arripuerit. Iam unam quotidie horam litteras eum doceo. Die Domini quaecumque nova vocabula ceteri didicerint,

ea doceo scribere; paulatimque, quum plura intelligunt, quaedam de religione incipio inculcare.

345. Cum Gelavio liberius de rebus divinis loquebar. Quidquid de Deo Creatore, de lege morali atque officiis, de sancto Dei iudicio, de eiusdem in sanctos gratia dicerem, id omne illi facile esse et quasi naturale comperio: etiam de immortalitate humani animi (id quod mirabar) iam credebat. Sed quoties auderem de Christo, de Moyse, de Iudaeis narrare, otiosus audiebat, quasi qui miraretur quid haec ad se attinerent: aliquando fortiter contra dicebat. Tandem diffisus posse me tantis argumentis suam impertire gravitatem, abstinui, ne profundius me demergerem.

346. Non absurdum erit narrare, quantum Pachus sua arte ferraria feminas adiuverit. Erant e meo instrumento acus quaedam minores, item maiores sarcinariae. Has Pachus multum admiratur. Minores nequit imitari, sed utriusque formae plures procudit grandes, quas exacuit politque satis pulchre, oculis recte pertusis. Unicuique feminae dono dat tres formae utriusque: his vestes, tegetes, stragula consuunt.

347. Gelavius identidem quaerit ex me, numne paeniteat me, quod plures sumus: num velim ad tres viros rursum redigi: num si pro octo octoginta foremus, id oporteret dolere: num malim paucorum esse quam plurimorum regulus. Nesciebam quorsum haec intenderent: subesse quiddam mihi videbatur. Demum interrogo directa, anne consulto talia loquatur. Tum modeste ac candide respondet: "O ere! talis est huius insulae iucunditas, talis omnium rerum copia atque commoditas, talis tua ipsius benevolentia, aequitas, sapientia; ut ego populares meos vellem sane multos hisce rebus mecum frui. Nec dubito fore ut illi velint eadem, si modo liceret: tuum erit dicere,

si id licebit numquam." Haec quum responderet, haesitavi consilii incertus. Mox dixi: "sane suis esse illum benevolum: ego quid velle, quid nolle deberem, id mihi ipsi neutiquam liquere." Notavi postea cunctos, ultra quod necesse erat, ampliare culturam. Id ipsum antea fecisse Totopillum memineram, tum quum hancce coloniam clam meditabantur: itaque credo omnes eandem fovere spem, quam indicaverat Gelavius. Hoc me male habet, ne nimis adverser, neve periculosum quidpiam gratificer.

348. Iterum e Gelavio quaero quot novos colonos tuto posse venire credat, et quanam sub lege: num tot modo quot in una familia nobiscum aetatem possint degere. - Respondet, semper se credere, fore ut ego in patriam restituar: quippe, ubi una venerit navis, aliquando tandem venturam esse alteram. Tum se suosque, optimo defensore orbos, parvam manum pollentibus barbaris relinqui: nam hos quoque aliquando venturos, nec, nisi aut igneis telis aut maiore caterva, posse abigi. Tot erga novas familias, quot firmo sint praesidio, esse optandas. Mille viros nimis multos non fore, sed quinquaginta contra eiectamenta maris sufficere." Interrogo, quid sibi velint maris eiectamenta. Sic ille explicat, ut dicat, "viros qui in scaphis per casus maris huc advehantur inviti." Vis ergo (inquam) quinquaginta importare familias? "Si liceret, vellem," respondet. At Gelavi! (rursus aio) id non per me licebit. Propter locos, arbores, antilopas, pisces, aves, nulla non erit pugna atrox. Nemo mihi obtemperabit, nemo intelliget: ego inter primos occidar.

349. "Ah, ne talia fingas, " (inquit): ne metuas, ere! Prius certe ego moriar: sed non nosti meam gentem." Dic quomodo (inquam). "Primum, ere! (respondet) homines sumus, non bestiae; itaque et Deum et principem veneramur. Quisquis fortitudine, prudentia, iustitia

excellit, hunc extollere, decorare, sequi amamus. Talis tu es vir, qui strenue ac iuste regere calles. Nostrorum virorum quot te noverint, te prae nostris regulis omnibus anteponent. Dein, audi, quaeso, amplius. Summi nostri reguli patruus est Cortops quidam, optimus ille quidem vir, sed fratris filium sibi praeponi aegre fert, habetque factionem non parvam. Mitis est ac senior vir; filii autem eius omnes proelio occubant. Is profecto talem in insulam colonos deducere vehementer cupiat: immo, id ipsum audivi, ac credo. Iam si huc adveniret, ille et suos cunctos facile regeret, et tibi obsequeretur officiosissime. Tum omnia illa de locis, arboribus, antilopis, ex consuetudine nostra ac sine pugna ordinabuntur." "Optime causam dicis, O Gelavi (respondeo) et callide adularis; sed nimia me sollicitudine tota haec res excruciaret: quare amplius de ea ne colloquamur."

350. Nos autem, ita ut dixi, cursum nostrum tenebamus, nec paenitebat me meorum subditorum. Singula narrare de tot hominibus, longum foret. Omnia quae egomet inveneram, paulatim discunt; sed Pachus novam rem reperit. Per Gelavium a me exquisiverat, unde veniret ferrum. Dixi, e montibus effodi, eiusque aspectum esse, tamquam in humum influxisset, massasque humi sua gravitate implevisset. Post aliquot dies laetus renuntiat, ferrum a se in monte repertum. Ostendit marram, novo quodam metallo crustatam. Explicant mihi, vidisse eum, in ulteriore altissimi illius montis latere, rivulum quendam discolorem, turbidum: marra postquam conciverit, hanc concrevisse crustam. Video non ferream esse crustam illam, sed aheneam. Respondeo, posse hoc multi esse usus, quamquam non sit ferrum; amplius oportere examinari. Postea doceo tale aes colligere et fabricare, quoties usus venerit.

351. Hiems huius regionis praeterierat. Calidior tempestas appropinquabat; quotidiani imbres augescebant. Die quodam Martii solito acrius flabat ventus et continenter per noctem duravit. Sub ipsum mane per tenuem pluviam ego cum Totopillo cocorum sinum versus pergebam, atque a specula mea video lintrem terrae appropinquantem. Egrediuntur duo viri, una femina: tot modo inerant. Video protinus piratas non esse hos: viri defessi esse videntur, femina algescere. Haec ubi a vento protegatur, vestibus contectam collocant: ipsi vagantur, ramos aspectantes, ut qui cibum anquirunt.

352. Pistolas mecum habui, sed nihil erat quod timerem. Ramulo arboris raptim abscisso, hunc elate gerens, cum Totopillo descendi, ciebamque eos clamore: neque illi a nobis fugerunt. Iussi Totopillum colloqui, si forte intelligerent. Is cito confirmat, esse eos Gelavii populares, vento abreptos, iamque fame, labore, frigore enectos. Nolui, in portum admissis, secreta domus aperire: sed iussi eum dicere, "cibum iis missum iri", et ipsum iuxta manere. Ego actutum redeo, tum Gelavium remitto cum cibo, uxoremque eius cum spissis siccisque vestibus. Ipsi frustra conantur ignem fovere. Fenis et Totopillus apud eos morantur: Gelavius illico ad me redit: sic iussi. Tum colloquimur.

353. Ego aio: si per ventum non poterunt ante noctem regredi, numquam regredi debere, ne plures postea in nos reportent, pervulgato insulae arcano. - Is laudat consilium meum, modo possit fieri. Mox addit: velle se quidem plures insulae cives; sed invitos retinere, nisi vincias, fore lubricum; nam posse aliquando scapham meam furari. - Id me perculit, nec quidquam ultra dixi: tamen eundem illum in sinum hospites coercere statuo.

CXXXIII

Fenis autem rediens ait, sibi illam feminam antea notam esse, et vero dilectam, atque eius se misereri.

354. Quando refoti sunt, tertio die de reditu consulitur. Erat sane difficilis lintri reditus, si ventus eadem ex regione perstaret flare, quamvis clementer. Imperavi ut nemo retineret eos, nemo abigeret, sed suis relinquerentur consiliis. Multas nobis gratias agunt, viatico accepto, aiuntque velle se, ut primum possint, domum redire. Quarto demum die evanuerant, sub noctem regressi.

355. Haec erant in mense Martio, neque ego tunc suspicabar quo me invitum divina duceret Providentia: nam novos colonos arcessere pertinaciter nolui, quamvis timerem ne meis forem iniquus: sed sollicitudo acris semper me vetabat. Continuabantur menses, et nostra omnium opera. Praeteriere suo in ordine genialis pluvia ac foeda tempestas: tertium iam mihi redibat siccior aestatis pars. Nos quidem in fructibus colligendis tum maxime fuimus occupati.

356. En autem ipso Sextili mense, dum cum Calefo et Totopillo per rupem incedo, e saltu prodeunt duo viri barbari. Pistola correpta, iubeo Totopillum eos compellare. Respondent, "amicos esse se, et regem insulae amicissime petere". Iubeo, mei honoris causa, tela in humum proicere: proiciunt. Tunc ut amicos saluto, recipere tela iubeo, et dicere cur, unde, venerint. Totopillus, parum facile, tamen interpretatur responsa. Senior autem e duobus illis, mitis aspectu vir, qui fere septuaginta habere videbatur annos, in hunc modum loquitur. "Ego sum Cortops. Cum quindecim lintribus venio, octo et viginti familiis, ut tua venia cum bona pace considamus hac in insula, tibi pro summo principe obtemperaturi. Ceteros infra reliqui, dum tua reportamus

iussa. Agrum autem ex tua abundantia a te oramus."
Quia de re inopinata illico respondere erat difficile,
multum salvere iussi; hic in saltu requiesceret paulisper:
honoris causa hos duos meorum apud eum relinqui: me
celeriter cum servis cibisque rediturum: tum nos de omni
hac re libere collocuturos.

357. Itaque decessi solus. Proditum me credidi. Gelavius
sine dubio nuntium Cortopi per illos viros miserat,
quoniam me obstinatum sensit. Tamen si triginta viri
armati iam in terram expositi erant, per vim telorum
male resisto palam: arte et sollertia est opus. Aut suadere
debeo ut protinus abeant, aut deliberare quo tandem
pacto minimo cum periculo maneant, sive ad tempus,
sive in perpetuum.

358. Interim irascor Gelavio et incipio obiurgare. Ille
admirans, obnixe ac simplicissime negat quidquam
nuntii se aut misisse aut missum velle; idque iteravit tam
anxie, ut nequiverim persistere. Iam hunc cum Pacho
cibos ac dona aliquot relaturum mitto. Ipse regalia
assumens, memini Fenim fuisse feminae illius amicam.
Igitur, missa ad eam Lari, arcesso, et irata voce interrogo,
quidnam hospiti dixerit. Illa quamquam male loqueretur,
tamen, quae dicebam, satis intellexit.

359. Effusa in lacrimas respondet, se, ab amica sua
rogitatam, anne commode se hic haberet, dixisse: - Immo
optime, sane se esse beatissimam sub benignissimo ac
iustissimo principe in iucundissima insula. Talia eam
velle dicere, sermone quamvis incondito, intellexi. "An
nihil aliud dixisti?" interrogo. "Sane plurima," inquit.
"Quid ergo?" "At ego nescio." "Nonne tu nuntium ad
Cortopem misisti, ut huc veniret?" "Certe nihil tale
auderem (inquit) neque ausa sum." "Sed neminem tu huc
invitasti?" "Oh ere (respondit), invitavi neminem; tantum,

ut credo, amicae meae dixi, -Vellem ipsam et quam plurimos meorum sub optimo te principe esse beatos, velut memet." Postquam experior nihil ultra sciscitando extorqueri, vultum compono: bono animo eam esse iubeo: dein egredior.

360. Incedens simul reputo. Si re vera propter famam mei, non propter cupiditatem malam, tot viri veniunt; tum vero, si prorsus eos venisse nolim, ipse memet obiurgare debeo, quod non fuerim iniustior; neque adeo sunt timendi, qui ad imperata perferenda festinant. Meae me laudes fortasse emolliebant: nulla convincitur proditio. Tum illud surgit: - quattuor ope virorum numquam hic navem fabricabor: si redire ad patriam volo, per plures id debet confici. Quid si nunc plures Deus ipse ad me misit? Egone illos abigam, in aeternam memet redacturus barbariem? Reputans talia, cum alio prorsus animo ad Cortopem reverti, qui cibos iam confecerat, et cane meo, propter offulas blandienti, se oblectabat.

361. Nuntiatur mihi, cunctam eius plebem esse in portu hortorum; sub arboribus a calore protegi: habere secum maximum zeae atque oryzae numerum, item maniocarum; coria quoque comportare et maximas vestes, tegetesque quae malignam imbrium vim possint arcere: quadraginta duos viros puerosve esse, septem et quinquaginta feminas: Cortopis omnes dicto oboedire: ipsum Cortopem mihi profecto velle submitti, constanter autem a me orare sedem idoneam. - Responsum feci plenum benevolentia. Pollicitus sum, illico me demissurum, qui ligna secaret in focos, aque alterum qui plura cibo commoda distribueret, velut oleum, sal, aromata: tertium qui ollas caccabosque ferret. Interim me de sede danda meditaturum. - Mox nos redimus cavernas versus, duo illi viri ad suos. Quando animadverti auram

extra ordinem a meridiem continuari modicam, melius censeo ut in scapha Gelavius cum patre soceroque supellectilem ac cibum portet. Gelavius minoribus gemmis fulgens me repraesentat. Hic lignum secat, illi prandium properant.

362. Ego autem sub serica umbella propter fastum ac calorem tectus, ad Caprinum iugum deflecto, atque, inde prospectans, novae coloniae decerno longam illam oram subter iugo, cum primo sinu citra Lunatam Viam, si eo quoque egerent. Sed ora illa facile suffectura erat. Postulo ut septimus quisque dies ut festus habeatur; ut, quot possint, illo die coram me veniant; ut Cortops quater in anno, ad minimum, me veneraturus adeat; ut mea lingua pro imperatoria lingua aestimetur, quam cuncti, ut primum possint, discant eloqui. His acceptis legibus, proximo die circum remigant, suamque capiunt sedem.

363. Paulo post clarius denoto; quidquid sit illa in ora, Cortopis esse sine ulla exceptione. Quaslibet aves, quoslibet pisces, illa tantum in ora, pro suis oportere eum aestimare. Sin ultra lineam altissimi iugi Caprini voluerit venari aut fructum terrae percipere, id mecum amplius deliberandum. Si quid in monte velit seminari, id liberum esse; et quidquid coluerit quispiam, id fore cultoris. - Has quoque leges comprobarunt: tum ego sollicitudinem deponebam.

364. Mox ligones, secures, dolabras plurimas deligo, item marras aliquot et cultros mensales, quos Cortopi dono dem, suae plebi ad suum arbitrium distribuendos. Cultrum, furcillam et cochlear, splendidiore specie, ipsi destino Cortopi. Sacchari aliquantum et olei addo, item aromata. Has res ille cupidissime ac multis cum gratiis

accipit. Tum, ne gemmis Gelavius praeluceat, monili pulchrius variato exorno Cortopem.

365. Postea aliud quiddam mihi arrogo: - Si hostes hac in insula descendant, ut sub Cortope cuncti imperata mea perficiant, conferantque subsidia belli. - Id quoque facile conceditur. Tum citrea atque aurea mala, cocos nuces uvasque siccatas, et conservatarum ananassarum ollas ad Cortopem demitto.

CAPUT TERTIUMDECIMUM

366. Iamque post violentam concitationem res ad suos cursus rediere. Sedecim post diebus aestas procellis abrumpitur: piget me quod cavernis hospites carent. Ego autem de mea lingua introtrudenda praesertim sollicitabar. Prima mea colonia et linguam non absurde et litteras parce didicerat: nunc meditor quo possim pacto easdem novae plebi impertire. Quando cum Gelavio colloquor, rogat ille, utrum velim eum assentiri oboedienter, an loqui libere. Libere autem (inquam) loqui.

367. Tum infit: "Nos, ere, tua familia, te et multum audivimus et valde amamus: igitur in lingua litterisque profecimus melius. Tamen nimius fuit ille conatus, nec nisi propter tui amorem tolerabilis. Duas res una postulas, utramque difficilem. Crede mihi, longe praestat, ut de lingua tua paulum differatur. Nostram potius nos linguam primum litteris exprimere discamus: postea quidquid e tua didicerint lingua (et discent multa paulatim) cupient ipsi scribere."

368. Haec audiens, quasi obstupui. "Quid? (inquam): tune linguam barbaram vis litteris effingere, et quantum possis, in perpetuum defigere?" - Acriter respondet: "Nostrae tu, ere, nescius es linguae, qui barbaram vocas. Lingua est copiosa, delicata, subtilis, tenerrima, sono mollissima, usu gravissima: immo, quantum conicere possim, tua sane praestantior." "Quid ais?" inquam. "Ego non novi tuam linguam: recte dicis. Sed cur credis eam meae antecellere?" "En (ait) quando tu Nos dicis, ego illud Nos per quattuor vocabula interpretor. Nam aut Ego ac tu valet, aut Ego atque ille, aut Ego ac vos, aut Ego atque illi. Hic quattuor sunt, quae tua lingua in unum illud Nos confundit; nostra pulcherrime distinguit Bini,

Bili, Binir, Bilir. Nonne hanc recte dico magis hic esse subtilem, accuratam, copiosam?" Assentior. "Item Vos (pergit dicere) duas confundit res; nam aut valet Tu cum ceteris quos compello, aut Tu cum quibusdam absentibus. Hic iterum nostrates duo habent vocabula, Vinir, Dinir. Iam tu de fronte contrahenda loqueris; unam hanc a te didici locutionem: nos quattuor habemus verba simplicia. Nam frontem contraho aut propter lucem nimiam, aut meditabundus, aut cum maerore, aut cum malitia: nos quadrifariam dicimus ac simpliciter." "Perge ultra," (inquam). Deinde tu de demittendo capite loqueris: nos septem vel amplius modis hoc pronuntiamus. Nam caput demitto, primum ut hostile telum vel ramum arboris devitem; deinde, ut venerer aliquem; tum, ut acutius prospeculer; quarto, ut assensum denotem; quinto, propter pudorem; sexto, per obstinatam contumaciam; septimo, in aquas descensuros; item octavo, saltans. En octo nostratium vocabula, Metic, Rodic, Fiarilic, Duthic, Lianic, Shanfic, Madiric, Reutic." - "Immo, Gelavi! (inquam interpellans) linguam tu meam parum novisti: nam nos Annuere adhibemus, assensum capitis demissi denotantes."

369. "Verissime dixisti illud, ere! (respondet). Non novi tuam linguam, neque unquam plene novero, nisi si possem renasci, et cum lacte matris carissimas voces haurire; nisi possem cum pueris iterum colludere, in vestris ludis litterariis discere; nisi possem in contione sapientium fervida captare verba, atque in foro, ubi res venditis, multos per menses nundinari. Nisi de novo possem matris, sororis caritatem discere, et suaves amoris susurros nunc primum tua in lingua audire, numquam sic ego complectar eam, ut tu corde atque animo complecteris." Fateor; vehementia eius perculsus sum. Nihil tale expectaveram: itaque reticui. Tum addit, - "O ere, noli succensere: sed ita se res habet. Lingua tua

nobis in meram mentem venit, quasi cum frigida luce. Nostra pectus tangit, animum erigit. Ut tuam nos, quantum possimus, discamus linguam, aequissime postulas; sed nostram quae tenerrimis nos memoriis perfudit, noli sic surripere nobis, ut tuam mance apprehendamus, fortasse foede laceremus."

370. Numquam antea suspicatus eram, quam sua cuique genti pretiosa esset lingua. Post paulo fassus sum, male me consuluisse, Gelavium recte iudicare: itaque iubeo, si possit, populares suos edocere, quo pacto ipsorum linguam litteris exprimant. Tum ille a me opem orat. Dicit, meis litteris illorum sonos non omnino congruere; propterea se haerere. Equidem non modo Lusitanice multa de orthographia (quam appellant) cogitaveram; sed prius, quando Maurusie discebam loqui, omnia Europaeis conscribebam litteris, mutatis additisque aliquot formis.

371. Igitur fere centum auditis perscriptisque vocibus, tandem quum autumat omnes linguae sonos se mihi pronuntiasse, facile ei totam seriem explico. Hoc ubi plurifariam probavit, crediditque rem confectam, totum gregem nostrum edocet; illi alacriter arripiunt. Postea, die Domini, quando ceteri conveniunt, incipit horulam dare huic rei impertiendae. Ego autem illo die contionor de rebus plurimis, quae possint mentes stimulare, excolere, firmare.

372. Illud laetus video, non esse segnes hos barbaros neque ventri aut temeto deditos. Etenim veloces esse et armis strenuos, id cuncti pro publico officio aestimabant. Sed ludos sedulo iis commendo. Feminae nostrae quotidie natabant, sed suo in grege: nos viri iam dumtaxat extra portum natamus. Ego sic iussi: namque ipsis interesse non videbatur.

373. At ego iam decerno, igneorum telorum usum Gelavio ac Totopillo impertire, quo tutior fiam. Id summo cum gaudio accipiunt, ut documentum fiduciae meae. Pulveris nitrati quia parcissimus fueram, aliquantum etiam restabat. Hoc reparari posse desperans, quidquid potest sine dispendio pulveris doceri, edoceo, atque illi acerrime artem meam assequi sonantur. Totopillus de pulveris illius compositione acriter exquirit. Carbonem facile explico; sed quid sit nitrum, quid sulfur, nequeo interpretari; nec, propter immane periculum, vellem eum componendi experimentis se obicere. Itaque hoc pro arcano relinquitur.

374. Hac aestate ego ac Pachus in pensilibus lectis super rupe dormiveramus: ceteri tres cum uxoribus malunt in cavernis manere; neque ego prohibeo. Pachum pro comite mecum assumo.

375. Inter haec subita res iterum rotae meae vitae convertit, et demum me parentibus, mihi patriam reddidit. Ante lucem, tertio ante Idus Decembres, bombus cannonis me expergefacit. Iteratur ter quaterque. Agnosco signum navis, quae opem in periculo orat. Prima luce per prospeculum contemplor, videoque navem magnam, quae in harenis longe a terra haeret. Arbitror illas ipsas esse arenas, ubi, quattuor ante annis amplius, nostra navis se impegit confregitque malos. Attentius observans, credo unum malorum esse confractum. Mox vexillum discerno: id erat Anglicum. Tum miro gaudio, maerore, spe afficior.

376. Mare erat tranquillissimum: vix ulla tum flabat aura. Acie oculorum contenta, per prospeculum nihil video motus neque instantis periculi. Tum illud succurrit: Quidni possumus, pluribus connitentibus scaphis, remulcis navem ex arena detrahere? Gelavium iubeo

properare ad Cortopem, et meo nomine impense rogare, ut lintres suas cunctas cum remigibus robustissimisque remulcis ad navem mitteret, atque a me dicta eos accipere iuberet.

377. Protinus ego cum Totopillo et Calefo Pachoque in scapham ingredior: nos quattuor remigamus, quoniam ventus deest. Cibum nondum gustaveramus, sed comportari iussi quidquid esset in promptu. Primi ad navem pertingimus, mox Anglica voce exquiro, ubinam sit praefectus navis. Illi mirabundi, et laetantes quamquam tanto in periculo, eum evocant. Narrat mihi, id quod ipse dispexeram. In litus, nocte utique tranquilla, incurrerant, fregerantque malum anteriorem. Etiam tum haerebant, timebantque ne surgente vento obruerentur. Dico me iussisse lintres remigesque tracturos venire, si forte id opis esse posset. Tum certiorem me facit, fundum navis esse solidum, neque admisisse aquam. Mox a magistro bolidem petii, et a scapha mea tentabam aquas. Sex ulnae navi sufficiebant. Means remeansque in scapha, submarini aggeris finem dimidio fere horae satis comperi.

378. Iam autem tredecim pervenere lintres. Magister me docebat, quot remulcis esset opus: ipse affigit, funesque ex suo addit. Saburram transmovet, partes navis afflictas levans. Eius dicta per me et per Gelavium traduntur. Remis incumbunt, gravius quam violentius primo. Remulci tenduntur, strident. Exclamat Gelavius: credo eum prohibuisse nimium intendi. Iterum; ter; quater incumbunt: demum non frustra esse video. Motus quidem navis exiguus apparet, augescit, continuatur: tandem clamor gaudentium exoritur: navis vado detrahitur et protinus bene natat.

CXLIII

379. Tum magister a me gubernatorem petit, qui in tutum aliquem locum navem deducat, donec malus erit resartus. Multum ille miratur, quum respondeo, "nemini ceterorum quidquam de hoc mari esse notum, me solum litoris aliquam habere notitiam." Remigibus per Gelavium indico, sperare me rem recte processuram: multas me agere gratias: sed parati sint iterum adiuvare, si iterum sit opus. Interim aura diurna a mari surrexerat, et, velis aliquot praetentis, tardiuscule movebatur navis. Ego in scapha profunditatem semper praetentans, flumen versus, in quod primam meam direxi ratem, sensim deducebam. Sed quoniam tempus procellosum longe aberat, suasi ut ancoram ancoram extra iaceret, deinde per suos nautas exploraret ostium. Assensus est. Tum ego meos viros cum scapha domum remitto, ipse in navi maneo colloquii gratia.

380. Protinus magister quaerit, anne novum possit malum apud nos emere. Respondeo: "Immo, secare. Esse plurimas supra arbores, malis idoneas; quas succisas posse facile in vallem detrudi, et, in ripa fluminis dedolatas, aqua vehi ad navem. In ostio fluminis tutissimum esse portum vel furentibus procellis, modo profunditas aquae navem admittas.

381. Iam quaerit, anne cibos praebere possimus. Id vero promitto. Illico iubet prandium omnibus apponi liberius, narratque parcius per plures dies comedisse cunctos, quia metuerant inopiam. Ego vero interrogo, quare has in regiones venerint, utrum gnari an inviti. Ille postquam quaedam imperavit, seorsum ductum humili me voce compellat.

382. "Tu me (inquit) valde adiuvisti; ergo libere loquar. Merces ego Anglicas a Bristolio ad Iamaicam debebam portare. Propter vim venti in Corcagiam Hibernorum

confugere sum coactus. Ibi aliquot meorum nautarum maiore mercede mihi surripit alius quidam navis magister. Tum alios ex necessitate accepi, quales ipse locus dabat, mercenarios nautas, quorum tres erant valde improbi. Multa molientes, seditionem serebant et bonorum pervertere mentes. Tandem co-orti in catenas me dedere, quum maxime eramus in Occidentalis Indiae maris. Quid de me facere voluerint nescio; sed ceteri nautae nihil gravius in me consuli patiebantur. Oculos Europaeorum fugientes, inter barbaros (ut opinor) se volebant recondere, credebantque se posse ditescere, divenditis meis mercibus. Una ex ora optimam aquae copiam assecuti sunt, absentibus barbaris; mox, ubi cibos volebant emere, orto iurgio, duo e navalibus sociis occisi sunt, quorum unus callidissimus erat e tribus illis improbis. Ceteri, qui cum scapha erant, aegre effugere. Duo illi, qui restabant e pessimis, homines imperiti, vi ac minis ac consuetudine quadam navem regebant, quamquam caeli ac maris at chartarum marinarum ignari. Cibos iterum ac ter frustra quaesivere: propter inopiam alimentorum ceteri murmurabant: demum proxima nocte sub auroram in arenas incurrimus. Tum vero imperitiae horum hominum succensentes, nautae eos catenis vinciunt, me liberant, orantque ut sontes puniam, ceteros a periculo liberem. Ego statim cannones opem orantes personare iussi: illud restat, ut si possim, quod male factum est, resarciam. Iam autem, dic mihi (quod maximi est) quot gradus terrestris longitudinis hic habeamus."

383. Paene risi, quum haec me interrogaret. Respondeo: illum a meo vestitu posse coniectare, quanta in barbarie verser. Loci sane latitudinem, stellis observatis cognosse me; longitudinem (quam appellant mathematici) prorsus nescire. Id tantum me habere cognitum, ad Occidentem nos degere, ultra ultimum Orinoconis ostium. - Ille ait, etiam hoc cognosse, magni referre.

384. Mox interrogo, anne velit me in patriam reportare. Is confirmat, maximo illud sibi gaudio fore; nec gratis modo revecturum; nam propter servatam navem magnum mihi a se suisque deberi praemium. Tum iussi, de hoc quod dicebam reticere; iamque me in sua scapha ad terram vehere, ut de cibis comparandis imperarem.

385. Undeviginti viri in nave erant: carnem recentem Anglis credo fore libentibus. Totopillo dico, si laqueis porcillos, lepores avesve possit capere, quam plurimos capiat, ac vivos. Pachum ac Calefum, traha ac trahula educta (illa duobus iumentis, hac uno) mecum ad colles Caprinos venire iubeo; Larim Fenimque in calathos plures fiscellasque componere dioscoreas, maniocas, bananas, dactylos, aliosque fructus vel legumina: Upim caseos promere quos habebat plurimos, et quidquid piscium sale conditum reservaverat, - si id quoque nautis usui foret. Ova gallinacea mihi non erant: pullis avibus parcendum decrevi. Denique Gelavium ad Cortopem mitto, orans ut si quid aut zeae aut oryzae possit sine suorum detrimento tradere, id mea gratia navi convehendum praebeat.

386. Pachum ac Calefum iam summa in rupe offendi opperientes. Caprarum silvestrium agros versus imus recta, usque eo ubi propter asperitatem saxorum nulla erat trahis via. Tum Pachum iubeo quam occultissime, more barbarorum, pone saxa inserpere, donec gregem aliquem intra teli coniectum videat. Ignipultas duas iis tradideram portandas: una erat bituba mea. Ambas iam suffercio. Ut Pachus recurrit, progredior caute, etsi neutiquam fugaces erant hae ferae. E duplice tubo bis maxima celeritate iaculatus, duas antilopas occido. Totus grex aufugit; sed propter formam locorum non poterat extra iactum extemplo evanescere. Altera ignipulta de Calefo arrepta, tertium protinus deicio mortuum: is mas

fuit, grandis ille quidem, qui restiterat hostem conspecturus. Iumenta nostra paxillis destinaveramus: eo iam necesse erat praedam deportare. Calefus et Pachus, connisi, satis aegre humeris suis capras, unam post alteram, deferunt. Caprum antilopam video nimium fore: quare egomet, oneri submissus, adiuvo. Sic per trium virorum nisus hic quoque in trahulam componitur: dein protinus domum eos remitto.

387. Egomet lacum versus propero, ut anseres vel ferum olorem reportem. Ipsam ad lacus oram numquam perveneram: ibi nunc olores video maximos. Anne pisces comedant, anne caro sit bona, nescio; credo tamen pisces e dulci aqua non nocituros gustui. Itaque igne coniecto maximum alitem, qui vix in margine erat aquae, occido; quem, quamquam canis non aderat, facile assequor. Hunc reportavi humeris meis, incommodum sane onus.

388. Ad cavernas Cortopem offendo, qui collocuturus de zea et oryza venerat. A Pacho vult discere, quanta sit secundae spes messis; item a Totopillo quantam vim radicum esculentarum, aut a nobis satam, aut genitam in vallibus, debeamus exspectare. Certior de his rebus factus, decrevi et zeam et oryzam praebere satis liberaliter. Eum magno cum honore excipio, oroque ut ad cenam maneat. Plures res in museo nunc primum ei exhibeo.

389. Inter haec pervenit Totopillus cum navis magistro. Magister breviter ait, Ostium fluminis a se esse exploratum; satis superque esse aquae profundae; cras cum aestu maris velle se intrare. E valle Totopillum in rupe a se visum esse; (is de cuniculis ibi satagebat) se cursum suum ad eum direxisse, ut ad me duceretur. - Totopillus secum habuit in sacculis quattuor vivos, unum

mortuum cuniculum; dein ego demonstro magistro, quos ei cibos destinem.

390. Is de ceteris rebus multas agit gratias; sed unum illum ait sufficere antilopam, duas feminas nolle. Nam tantam carnis vim corruptum iri, nisi propere comedatur; nautis autem qui decem per dies parcius pasti essent, insaluberrimum fore, si multum subito carnis haberent. "Sed ego," ait, "in rupe mansuetum vidi gregem: quidni possis duos tresve haedos cum pabulo vivos navi imponere, quando in eo erimus ut solvamus?" - Tum video errasse me per properantiam: porro malus novus erat caedendus. Igitur respondeo: "Bene est: quidquid poterimus, faciemus." Tamen de meis haedis aegre ferebam: nam quidquid mihi cicur factum est, et e mea manu pascebatur, id iugulare dolebat me.

391. De olore oblitus eram facere mentionem: nunc sententiam muto. In Cortopem convertor, interprete Gelavio. Multo cum honore illum maximo alite dono, item duabus mortuis antilopis, ut suis remigibus, si sibi libeat, praebeat epulum. Addo, nolle me oryzam ab ipso orare, nisi esset, unde supplerem. Is laetus accipit, polliceturque lintres ad convehendum cras mittere. - Tum a Totopillo quaero, numve aves porcillosve ceperit. "Nondum ullos," respondet. - "Igitur differas (aio) hanc rem, donec resarciatur navis: nunc ex uno illo lepore cenam appara." - Id ille properat.

392. Confecta cena, Cortops ad suos vult extemplo redire. Ego cum magistro trans rupem ambulo, ut arbores malo idoneas oculis lustret. Quattuor, quas denotat, creta distinguo: hae erant in saltu meo. Descendens ad flumen quintam animadverti, eiusdem fere magnitudinis, quae populi instar gerebat. Hanc ut propriorem commendo, atque ille comprobat. Tum aio: "Fabrum tu navis tuae

cras huc mittito: si quid iumentis opus fuerit, ego per viros meos praebebo." -"Eheu! (respondet): faber meus cum insignissimo illo improborum fuit a barbaris occisus: idque me male habet, quod nemo apud me est, qui arborem in malum dedolare calleat. Sed nisi inter vos quispiam est fabrili arte exercitus, nautae mei, ut ut poterunt, caedent." Tum narro et me et quosdam e meis ex necessitate multam rei fabrili dedisse operam; et posse nos, si velit, hanc rem aliquo tandem modo perficere. Id libens audit: ait se, malo, qui fractus sit, in ripam exposito, alterum, eiusdem plane mensurae, imperaturum mihi; pretiumque eius, pecunia aestimatum, in accepti tabulam mihi relaturum. Tum ego, quantum possum, spondeo: is ad suam scapham abit, in navem rediturus; ego ad cavernas.

393. Postero die sine ulla difficultate Pachus et Calefus arborem illam succidunt et ramos amputant. Navis cum matutino aestu ostium subit fluminis, malumque illum confractum in ripam excutit. Ibi ego accuratissime omnes eius partes metior conscriboque. Fabrilia navis instrumenta recognosco: molem quandam cochleatam mutuor et maximas confibulas plures; quoniam utroque in fine inter operandum debeat arbor firmiter destinari. Dolabras item et runcinas inde sumo, ne, si nostrae in cedendo retundantur, absumatur tempus. Ego quidem videbar plus festinare quam magister; inaniter credo: sed spem redeundi oblatam tandem, mora uniuscuiusque diei videbatur imminuere. Video cras operam perfectum iri: igitur Totopillum iubeo, quam maturrime possit, testudinem capere; mox pabulum haedinum in navem congerere. Enimvero cras, id est, tertio die, ut speravi, malum perfecimus. Vespere Gelavium ad Cortopem mitto, nuntiaturum, me gravissima de re velle colloqui, quae cum plebe sua debeat communicari; quare in eius

honorem, nisi quid nolit, ipsum me ad eum mane venturum. Respondet, libenti fore.

394. Mane, regium vestitum gerens, mea in scapha, comitantibus Calefo, Pacho, Gelavio, circumnavigavi ad Cortopem. Is me multo cum honore excipit. Tumulum quendam vel tribunal e caespite exstruxerant, in quod mecum ascendit, et in arundinaceo quodam picto tapete me requiescere iubet. Tum ad contionem suorum verba facit, - credo ut me iis commendet: illi conclamant plaudentes. Assurgo et manibus gesticulor: nihil aliud poteram. Dein descendimus, et per Gelavium oro, ut Cortops mecum et Calefo seorsum colloquatur. Iam me aperio, Calefo interprete.

395. Aio, me omnibus insulae meae civibus summam optare prosperitatem: hanc ut affirmem, praecipuae mihi esse curae. Illum, quippe virum nobilem, mitem, seniorem et diu notum, quasdam propter causas, me ipso fortasse melius eorum fortunis consulturum. Quare una sub condicione esse mihi in animo, ut de principatu illi caedam. - Primo non credidit Calefus recte interpretari. Bis terque interrogabat, et, ut iteraretur res, postulavit. Igitur ego, regiis gemmis de meo collo detractis, illius super capite sustinebam. Sensi hominem valde moveri. Tum quaesivit, quaenam foret illa una condicio? Respondeo: - Quoniam illi non essent filii, postulare me, ut Gelavium pro suo filio et principatus successore adoptaret; et postquam ego coram contione Cortopem meis regalibus exornassem, is rursus Gelavium, pro suo filio ac successore pronuntiatum, regio aliquo more publice agnosceret. Libentissime hanc condicionem accepit.

396. Tunc adhibitis in colloquium Pacho ac Gelavio, retego quid actum sit. Pachus laetatur, Gelavius

obstupescens lacrimatur, interrogatque, numne abeam. Protinus explico; hanc navem meorum esse popularium et ad meam redire patriam: oportere me, patris senectutem amanter fovere; porro hic me, si maxime linguae Indianae forem peritus, paucis aliquot posse esse carissimum, universis non posse esse acceptum gratumque principem. Non me paenitere quod artem litterarum iis per Gelavium tradiderim. Hanc si excolant, filios fore patribus, nepotes filiis usque sapientiores. Sed opus meus hac in insula finitum esse. - Profundum subsequitur silentium.

397. Post paulisper Cortopem rogo, numquid obstet, quominus rem illico perficiamus. Ille, quasi evigilans, vacuis oculis aliquid respondet. Interpretantur: "Nihil quod sciam." Tum Calefus in caespitem escendens pauca proclamat, populum in contionem revocans. Opperimur, donec quam plurimi reveniant. Tum Cortopis manum tenens, cum eo iterum escendo, cunctis mirantibus quid agatur. Protinus ego meo capite detractam cristam Cortopis impono capiti, et monile meum e bullis fulgentissimis et versicoloribus collo eiusdem circumpono. Adstrepit plebs gestiens. Mox Pachus explicat, me in honorem Cortopis de meo principatu cedere. Conclamatur ab universis. Descendimus ego ac Pachus: Gelavium escendere iubeo.

398. Rursus Cortops palam nuntiat, se publice Gelavium pro suo filio adoptare, quem se mortuo debeant pro principe venerari. Post haec dicta, ipsum illud monile meum, suo collo detractum, imponit Gelavio, quo manifestior meis sit oculis acta res. Applaudo. Tum Cortops Gelavii collo manus suas circumdat, et paternum ei osculum imprimit. Dein brevissimum aliquid proclamat, quod mox mihi explicant: "En vobis filius meus!" Mox maxima cum acclamatione disceditur. Oro

Cortopem, ut propter mea summa negotia, si illi id non sit incommodum, ad meum portum secundo mane veniat. Mox multa cum caerimonia decedentes, domum scapha petivimus. Haec quarto erant die, post navis adventum. Eodem sane die novus ille malus per duo iumenta ad navem a Totopillo deductus est.

CAPUT QUARTUMDECIMUM

399. Quinto die novus ille malus suum in locum figitur. Ego autem quidquid volebam asportare, deligebam, componebam, - laetans, maerens, gemens, mire varius et valde taciturnus. Statui autem me ante quintum finitum diem meas res omnes confecturum: atque confeci.

400. Sexto die pervenit Cortops, sic ut rogaveram. Pulcherrimum ei gladiorum meorum, qui erat e chalybe caeruleo, atque unam novaculam cum coticula sua coriacea, dono do; item optimam ignipultam aucupatoriam: dicoque, si artem iaculandi velit discere, posse a Gelavio doceri. Mox furcillam mensalem et cochlear, quae argentea habebam, ut regii iuris, detuli. Instrumentum meum fabrile ac coquinarium omne ei exhibui, iussique, si quid praesertim vellet, inde deligere. Nihil ille nisi ferream cratem, sartaginem et duas secures delegit. Serras dixit se cunctas concupiscere; sed accipere, - id fore impudentis. Tum ego arridens dico, quidquid cum Gelavio reliquerim, eius usum fructumque penes Gelavii patrem principemque fore. Mox addidi, nescire me, quanti meam ille scapham aestimaret; Gelavii et Totopilli opera fuisse exornatam; sed honoris causa, acciperet a me. Honoris (respondet) causa libentissime se accipere. Denique sericam meam umbellam illi trado, quoniam haec quoque regium quiddam habere videbatur. Post prandium, ipsa in scapha cum donis meis revertit, suam lintrem (pulchram illam quidem) concedens Gelavio, sagittasque Totopillo cum arcu splendidiore. Equidem meis omnibus sedulo multa gratificabar, maribus ignipultas pistolasque imprimis, honoris fortasse causa, item alias res plures; sed feminis quae dari oporteat, aliquanto difficilius statuebam.

401. Rerum serie abreptus, cladem cymbae omisi narrare. Upis, praeter alias operas, in piscibus colligendis condiendisque erat utilis. Solebat in cymba retia mea ipso in portu visere, inde pisces reportans. Haec mulier cum Lari item nova fecit retia, et vetera sarsit. Quodam die, quando, reti elato, in eo erat ut pisces extraheret, accipiter quidam marinus pro pisce certabat; id quod alias evenire noveram; nam hominem hi alites parum formidabant. Ea surgens, remo afflixit alitem; sed vi verberis oblique se e cymba praecipitavit. Forte plenus tum maxime erat aestus, mari satis tumido. Cymba, resorbente aestu, extra asportatur, mox in scopulos affligitur. Mulier enatans facile terram attigit: cymbae nil nisi tabulas quasdam et unum remum recuperavimus.

402. Totopillus, ut primum tempestas favet, tres testudines ope Gelavii ac Pachi reportat. Has cum pluribus cibis vivas ad navem ego cum Gelavio, ipsius in lintre, conveho: ibi cum magistro colloquor. Polliceor vivos haedos pusillos quattuor: demonstroque, si amplius vellet pabuli, nautas posse e valle metere. Antemnas, ait ille, mali etiam deesse; rogatque anne possem fracti mali antemnas probe affigere, ceterasque res concinnare: suos enim nautas valde esse inhabiles, quos e Corcagia duxisset. Credo posse me operam conficere; sed Dominicus dies accedebat. Ne post discessum meum prorsus negligeretur ille dies, comperendinavi rem. "Die Lunari (dixi), si potero, perficiam; tum tu die Martis navem fortasse solves." Se fore praesto ait, si ventus faveat.

403. Tum seorsum magistro dico: quoniam fabrum non habeat, quidni me pro fabro suo rediens accipiat? Ridet primo incredulus; sed quando me serium videt, respondet, "Sit sane, ut vis. Si opera tua fabrilis navi suffecerit, plenam fabri mercedem a sociis meis domi accipies.

Servatae navis praemium tibi erit integrum. Pro cibis quos praebes, pecuniam non numerabo quidem nunc, sed aestimabo."

404. Tum quales habeat merces, interrogo. Ait se ad Iamaicam portare agri colendi instrumentum, item vilia servorum vestimenta, et quidquid coloniae sit idoneum. Num serras habeat, num palas, rogo. Maxime, ait. Tum ego decem serras, decem palas, quadraginta cultellos plicatiles, quadraginta vestes e gossypio, et longi gossypii quattuor fasces, emo; novum donum Cortopi. Sic propter oryzam spero eius plebi satis responsum iri. Mox varia conficio feminis nostris munuscula, aliqua viris meis, quae referre taedet: longe plura sane Gelavio confero, inter quae duo pono dolia pulveris nitrati, quattuor missilis plumbi sacculos. Has res omnes magister contra me in tabulam impensi refert, polliceturque in cavernas meas deportare.

405. Cras, qui dies erat Domini, plurimi convenere, ut me ultimum salutarent. Multa dixi benigne, sed moribundi hominis animum gerebam. Multis Gelavium monui, ut quantum posset, non his tantum viris, sed posteris prospiceret; nempe, si seniorum consilio de agris colendis, de usu-fructu agrorum ac maris, de aedibus condendis, de materie saxi caementique fruenda, leges aequas firmasque promulgaret. De talibus rebus prout leges bonae exercentur, ita (dixi) civitatis cuiusque viget polletque status. Si de his quae Deus donavit mortalibus aeque iuste-que inter homines statutum sit, tum fore ut singulorum industria vigeat, universorum copiae abundent; neque unquam uberrima in insula defore principi tutamenta maiestatis, si usque ad humillimum quemque civem descenderit principis aequitas. - Ille mea verba quasi haurit atque recondit, raro respondens aut paucissima. Tandem ait (ignoscat mihi lector, quod

refero,) "O ere, numquam ego volui regnare; sed si antea nescirem, in te didici quaenam essent regnatoris elementa."

406. Postea dixi: "Nae tu, quidquid evenerit, id agas, ut numquam hac in insula duo sint inter se liberi principes. Si ad tempus id devitari nequibit, at tu per foedus facito ut filii vestri ac filii omnium qui in eadem hac erunt insula, eodem summo principe utantur. Quam mites sitis inter vos, tu optime noveris. Quam atrox funestumque possit esse bellum, ego video, quattuor illos fortesque requirens Cortopis filios. Tu in fratris iam loco es erga Totopillum; cur, quaeso, acerrimi quondam crudelissimique fuistis hostes?" Lacrima oborta, "Tu conciliasti," inquit. De se nihil promittebat.

407. Die Lunari antemnas sarsimus: tum funes nautae ipsi ordinabant. Magister queritur, inter fructus non fuisse limonas, de qua re illico imperabam. Mox Totopillos octo aves vivas detulit, quinque mortuas; ex his tres grandes erant; otidas esse credidi. Dixit habere se porcillos quoque, cras fortasse alia delaturum.

408. Ego unam acum polarem, unum par pistolarum, bitubam meam, alteramque aucupatoriam eram avecturus; item quidquid proprium fuit Brasiliensis magistri. Quidquid nemini datum relinquerem, id omne pronuntio Gelavii esse. Hunc porro rogavi, ut in matris meae honorem cocum illam in portu rigaret foveretque.

409. Summo mane experrecti, maxima cum exspectatione multi mortales discurrimus. Totopillus mature porcillos vivos tres detulit, novamque avium copiam, inter quas columbi erant e meis vivi. Serius Fenis, Laris, Pachus fiscellam limonarum suo quisque in capite deportant. Mox a Cortope nuntius remigum

operam pollicetur, siqua forte opus sit. Sed propter ventum adversissimum et cautes vadosi maris parum notas, magister honorifico responso negat se audere hodie egredi: id quod multum doleo.

410. Nam suspensis intentisque animis maestissimum est segnitia: item paratis rebus omnibus, quid nobis nisi segnitia restat? Propterea, procedente die, iuvabat me quod magister, plurima interrogando, multum a me sermonem elicuit. Praecipue mirabatur, quo tandem fato ego, Anglus homo, inter Lusitanos Brasilienses ineunte adolescentia fuerim colonus, ubi ipsa religio deterret Anglos. Ubi Gelavius quoque oravit, ut totam hanc rem plenius explicarem, in plena nautarum contione hunc tandem in modum locutus sum.

411. Ego, in nave Anglica ad Guineam navigans, a Mauro pirata captus sum cum sociis nostris navalibus. Is me quattuor fere annos pro servulo laborare co-egit. Tandem felici audacia aufugi, in phaselo eri velocissimo, unum puerum Maurum simul asportans. Ipso in Oceano nave Lusitana excepti sumus atque ad Brasiliam devecti. Magister negat se pro naulo quidquam a fugitivo Christiano accepturum: pro phaselo et rebus omnibus quas asportavi, ipse pollicetur pretium. Denique ab hoc viro liberali, postquam in Omnium Sanctorum Sinu ancoram iacimus, persoluta mihi est summa ducentarum viginti minarum Lusitanarum. Hoc caput mihi erat pecuniae, in Brasiliam exposito. Fatendum autem est me clam patre navigasse; noluisse me idcirco sic reverti in patriam, ut parentis opes iners consumerem.

412. Illa sane regio, immensa agrorum, profunda saltibus, vacua virorum, advenas libentissime excipit: nec diu exspecto, antequam apud colonum quendam in agriculturam adhibear. Primo quidem propter linguam

ignotam parum eram utilis. Poteram sane colentibus astare, observare, segnitiam cohibere, et modica quadam opera cibum tectumque mereri, ut ne ex meo impenderem. Interim per eundem navis magistrum transigebam, ut ex Anglia pecuniae quaedam meae ad me mitterentur. Is nempe, Olisiponem rediturus, credebat se illic posse id procurare, si ego litteras sibi ad mearum pecuniarum sequestrem confiderem; id quod libenter feci. (At femina habebat nummos meos, vidua magistri navis, primi mei atque optimi patroni). Postea autem vir benignus, re mea tamquam sua ipsius accuratius perpensa, ait nummis nequaquam opus esse, sed caput pecuniae, postquam de summa certior veniret ab Anglia nuntius, Lusitana merce mutandum, qualis praesertim Brasiliae esset idonea. Posse me post aliquod tempus Olisiponem ad se scribere, siquid potissimum vellem: sin minus, tum quaecumque sibi viderentur, reportaturum. Gratias sane egi, litterasque ad amicam viduam composui, in quibus omnia, quae contigerant, strictim narrabantur. Ea, postquam redditae sunt hae litterae, laeta effugio meo, propter mariti sui memoriam Lusitanum magistratum ex suo liberaliter donat, simul parentibus meis cuncta impertit. Comperire non potui, credo tamen, meas apud illam pecunias a patre confestim auctas esse; nam merx quam demum accepi, aliquanto plus erat quam quod aut exspectaveram aut potui explicare. Sed redeo unde deflexi.

413. Colonus ille (Arauio ei erat nomen) cuius in operis eram, agri ditior erat quam pecuniae, nec potuit naturali agrorum ubertate ita frui ut debebat. Ager per servos colitur. Atqui ille neque tot servos, quot opus erant, habebat, neque instrumentum satis amplum, si, propagata cultura, reditus ac commercia opperiretur. Ut industrium me primum esse vidit, agrique colendi haud ignarum; mox, intellexit nummorum me aliquantum manu tenere,

alias exspectare ab Anglia pecunias: sensi eum familiarius me compellare, tum saepius astare, velle colloqui, ad mensam interdum adhibere. Mox pueris uxorique me commendat. Garrio cum pueris, ruri comes fio; ludum quasi gladiatorium facio, - non cum ipso gladio, nam virga pro telo erat,- dum doceo quomodo Anglus nauta, quomodo Maurus, feriat, arceat. Quae omnia non modo animum meum inter peregrinos valde solabantur, sed propter linguae quoque usum proderant. Lusitanice loqui ex pueris disco, cum patre sermones ipsius de re habeo arctiores.

414. Tandem is se aperit. Benigne de me quaedam praefatus, ait, - Si socium haud pauperem haberet, ambobus lautius fore quam nunc sibi soli: tantam esse agri ubertatem, caeli teporem, aquarum abundantiam. Me, si in haeretica religione persistam, agros meo nomine non posse in Brasilia tenere. Sane se velle, concordes forent omnes Christiani: sin autem id fieri non possit, tum, idonea facta syngrapha, quin pecunias in fundo eius collocem, amplosque reditus fenore accipiam? -

415. Ubi cibus abundat et iucunda aeris temperies facili opera corpus fovet, ibi (opinor) animi ad liberalitatem, apud nos ad avaritiam, sunt propensiores. Itaque coloni illi sunt haud raro segnes, negligentes, prodigi; profecto non sunt illiberales. Quare, quae in medium proferebat, comiter excutiebam; neque abhorrebam a viro, vultu moribusque iuxta benigno.

416. Illud quoque considerabam; Lusitaniam Angliae arctiore quodam vinculo astringi, ex quo tempore formidanda illa, ingens potentiae Hispania, nostra dirissima atque implacabilis hostis, e possessione Lusitaniae est exturbata: quo tutiores mihi fore pecunias, apud civem Lusitanum collocatas.

CLIX

417. Denique consensi; scriptisque litteris, quas merces ille desiderabat potissimum, has ego Olisipone reportandas ad me rogavi. Pecunias propter praesentes usus illico poteram ex arca mea conferre. Paciscitur porro, ut ego operas agrestes curem regamque, ille praestet mihi ex ipso fundo cibum, servos, equos, cuncta quae maximi sunt: cetera ex praesenti pecunia atque ex annuo fenore facile solvo.

418. Miranda sane est illa in regione arborum atque fruticum tum copia, tum proceritas. Plurimarum nomina arduum est dicere: immo, prorsus populis Europaeis sunt incognita. Celebris est ibi manioca esculenta, item milium atque zea Indica, item banana et oryza sativa. Atqui ego, qui plurima terra nascentia apud Mauros didiceram, tamen longe plura hic primo ignota inveni.

419. Noster quidem fundus saccharum praecipue et tabacum gignebat. Radices esculentas, olera, cerealia, ipsi in suis agellis servi educant, eroque praestant unus quisque aliquantum. Ille semina quaedam, instrumenta, vestimenta, tecta domorum confert; cuncta administrat, defendit, regia vectigalia persolvit.

420. Per biennium plurima circa fundum erant novanda. Plus aliquando excolebatur agri. Saepes, viae, portulae erant conficiendae: tum casulae novae, plutei. Distribuendum instrumentum, cultura regenda, multa nove docenda. Irrigatione non opus erat; dumtaxat propter oryzam quibusdam in agellis cohibebantur rivuli decurrentes. Tertio itidem anno multa opus erat alacritate et perpensatione diligentissima, ut ad amussim iudicarem quid sapienter, quid stulte impensum; quae retinendae rationes, quae mutandae forent. Necnon, ipsorum servorum ingeniis iam melius perspectis, ad suas quemque curas fructuosius poteram disponere.

Tantummodo non satis habebamus virorum in operis, quamquam vernulae quotannis nascebantur, et post aliquot annos videbantur suffecturi.

421. Attamen quarto iam anno affluebant opes, servuli continuam officiorum rotam persequebantur. Socius (sive collega) ille meus Arauio, vetus negotiandi, externas fundi nostri res diligenter administrabat. Ego vero quasi brachiis replicatis poteram ditescere, nisi quod propter novam hanc segnitiam tum maxime fundi, regionis, hominum, meique ipsius taedebat me.

422. Debebam fortasse uxorem ducere, sed religio loci impediebat: non quod ego Anglici cultus tenax fuerim atque ostentator; nam extra, vix diversus a ceteris videbar. Sciebam autem, ut primum matrimonium contemplarer, extemplo sacerdotes de mea religione fore curiosissimos; dein arctas connubii leges postulaturos, quibus neque uxor sit mea ipsius, neque liberi neque domus neque servi; sed sacerdos sua sponte intret, cognoscat, ordinet, imperitet; cunctos, si libitum fuerit, contra me cohortetur. Id vero non erat ferendum. Itaque solus manebam, solum me fovebam, oblectabam: mox, me ipsum perosus, inquieto agitabar animo.

423. Ita affecto subita supervenit vitae conversio, quam satis mirari non possum. Collega ille sive magister meus sedulo me ad se vocat; ait, gravi de re velle se colloqui; aures benignas et patientes se orare. Ego, mirabundus quid sit, respondeo, esse mihi otii satis superque, et perlibenter me auscultaturum.

424. Tum infit: Opulentiorem se per me in dies fieri. Quidquid dicat, ne se putem ingratum, neve velle ab se me amotum. Multa me fundo suo optime fecisse, unum non potuisse facere, ut plures essent servuli. Id si fieret,

multo etiam perfectius latiusque excoli posse agros. Operam meam per triennium utilem fuisse, immo necessariam; iam ipsam per se quasi confectam: sic enim me res administrasse, ut non iam indigerent mei. Nunc si sibi suisque familiaribus consultum velim, in eo res esse ut valde possim adiuvare.

425. Hic pausam fecit: ego autem exspectans etiam tacui. Tum de novo incipit: Audisse se ex me, navigasse me ad Guineam commercii causa. Si iterum vellem eodem proficisci, sibi amicisque gratum fore, mihi ipsi fortasse non malum. Etenim plures notasse me, qui antea hilaris strenuusque fuissem, nuper taciturnum evasisse, maestum, languidum. Fortasse propter valetudinem mutandum aera. Excursionem maritimam corpori mentique fore salubrem.

426. Interroganti mihi, "Quid autem ego tibi tuisque circa Guineam sum profuturus?" respondet: "Imprimis tu rationem huius commercii atque idoneas merces intelligis, quas hinc oporteat exportare: tum (quod est maximum) servos nigritas, quod volumus co-emere, tu clementer reges, sanos deportabis. Libere tecum de te loquar. Difficile est virum bona familia, humane institutum, benevolum, veterem rei maritimae, strenuum negotiando, regendi capacem reperire, qui servitia venalia conquirat. Atqui vel maxime tali viro hic est opus.

427. Tu homines barbaros benigne excipies, demulcebis, ad obsequium duces leniter: alii efferos, contumaces, tristes, vel languidos, morbosos, semimortuos important. Nos te volumus sine tuo impendio ire. Mancipia de nostro co-emes: deportata inter nos dividemus; tu parem nobis habebis sortem. Porro, quod nunc tibi propter

operam tuam agrestem attribuo, id omne, pecunia aestimatum, quamdiu in nave sis, solvam."

428. Nescio an laus mei nonnihil oblectaverit: ceterum respondeo, admirans si per regium praefectum talis expeditio liceret: nam rex ius servitiorum venditandorum paucis quibusdam propter magnam pecuniam concedit. At ille: "Nihil nos contra regis edicta sumus facturi. Palam non licet venditare, at nos prorsus non vendemus. Et vero, quo certius re se habeat, muneribus quibusdam sagaciter distributis efficiamus ut ne nimia de navis onere sit investigatio.

429. Accedit quod sacerdotes tale inceptum vehementer comprobant. Barbaros homines, quorum vita (libera sit, an servilis) saeva est, impia, foeda, - hos in mansuetum servitium sub benignitate Christiana tradere, verae aiunt esse pietatis. Iam navis parata est; merx, qualem tu iubebis, cito parabitur."

430. Neque valde placebat mihi neque displicebat haec expeditio. Haud amplius iuvenali ardore in maria irruebam, et tamen amabam mare atque ipsam operum commutationem. Condiciones vidi aequas esse, rem lucrosam, neque amicos homines reicere facile fuit. Re ponderata, demum consensi. Tum quasi intermortuus, sollemni testamento omnia concludo. Benignum illum navis magistrum, qui me ex mari servaverat, heredem instituo ex semisse. Alterum semissem rei meae ad Angliam remittendum destino, conscriboque singillatim, quid opus facto sit. Sane, si, ut in testamento fui providus, sic in vita dirigenda fuissem sagax, numquam tantas aerumnas exsul ab hominis genere forem perpessus.

431. Iamque paratis rebus omnibus, solvimus a portu ipsis Nonis, Augusto mense. Primo ad septemtriones

navigavimus, paene litus Americae nostrae legentes, tempestate bona, dumtaxat vehementer calida, donec ad promunturium Augustinianum devenimus. Inde ad Aquilones versus, tamquam ad insulam Ferdinandi Neroniani direximus cursum, citoque terram condimus. Duodecimo die turbo ventorum ex Austro conversus detorquetur in Eurum, inde in Aquilonem, violentia semper augescens.

432. Nos, multum contra luctati, necessario tempestate deferimur. E sodalicio unus vir febre victus decessit: mox nauta ac puer, superscandente fluctu, asportantur. Ut potuit magister, paulum decrescente vento, caelum observare, credidit nos prope septemtrionale continentis litus, circa Orinoconis ostia, devectos. Navem negat Atlanticum mare traiciendi iam esse compotem: igitur me in consilium adhibito, recta domum redeundum censet. Id vero vehementer nolo; inspectoque mari in chartis descripto, suadeo ut Barbadam petat, vitato aestus decursu, qui sinum Mexicanum invehitur.

433. Ille consensit ne redeat, clavumque ita flectit, ut qui in aliquo Anglarum Antillarum portu cupiat navem reficere. Hac spe adductus, iterum nos in altum committit: attamen novae procellae infortunatam navem excipiunt. Denique, ne longus sim, multum reluctati, in has ipsas arenas depellimur, ubi vestra navis afflicta est. Sed nos, scapha conantes effugere, salo maris obruti sumus, unde ego solus evasi vivus. Ceterum navis ad plenilunium duravit incolumis, et praebuit mihi, non victum modo, sed paene insulae huius imperium.

434. Talia ubi dixeram, multa inter se colloquuntur, atque alia interrogant, quibus Gelavium respondere iubeo: sic vario sermone finitus est dies. Nocte mutatur ventus. Prima luce magister mihi aperit, remiges nunc posse

multum adiuvare; de quo protinus nuntium misi. Hora ante meridiem decem cum ipso Cortope venere. Mei quoque omnes congregabantur, inter quos (ignoscat lector!) canem paene lacrimans aspicio. Hunc, illis tam utilem, asportare nolui: illud dolebam, quod feminam canem non potui simul dare, ne ipsum genus periret.

435. Mox solvunt ancoram. Movetur navis cum aestu, remulci applicantur, flumen descendimus. Vocibus, vultu, gestu, plenis caritate, plenis item magno maerore, discedimus. Ad caelum surgit cor meum, quaeritantis ecquando eccubi hosce tam fideles, tam bonos iterum conveniam. Gelavium oculi mei anquirunt frustra: fortasse propter dolorem se occultabat. A terra iam recedens, egregiam insulae pulchritudinem admiror. Numquam sane algae, fruticeta, praegrandes arbores, palmeta, colles, aqua purpurea, caelum clarissimum, tam digna mihi antea visa sunt Paradiso. Sic remiges nos trahunt, quamdiu magistro id tutius videretur.

436. Ut primum in alto sumus et rite concinnantur vela, magister mihi significat ut dimittam lintres. Tum video Gelavium, loco Cortopis, iis esse praefectum. Is propere navem scandit, genua mea complectitur; et antea quam verba possim illo momento digna fingere, recesserat, evaserat. Extemplo inter lintres ac navem magnum exstitit intervallum. Descendo in cellam meam, animum variis motibus distractum, pietate, si possim recollecturus.

437. Ad Caurum, quantum sineret ventus, semper contendebamus. Postquam quadraginta fere milia cursus fecimus, navis Europaea apparet; mercatoria navis, ut credimus. Eam versus recta tendens, magister cannones opem precantes personari iubet. Mox per prospecula vexillum videmus Anglicum. "Forsitan (inquit magister)

illa citius in nave quam in mea patriam attingas." Id me dubitatione conturbat. Postea aio, si maxime illa navis recta ad Angliam properet, praestat praemonere parentes, vivere me ac venire. Dein memini, quoniam pro fabro operam locassem meam, aequius esse, ut ne, nisi coactus, pactum abrumperem; et quidquid rei pecuniariae inter me et magistrum penderet, id benignius a sociis eius aestimatum iri, si tunc navi adhaererem.

438. Igitur propere litteras conscribo, quae ad patrem meum traderentur, si forte navis illa perferret. Quando convenimus, magister noster quaerit ab iis, quanam in longitudine terrestri versemur. Illi confestim et longitudinem et latitudinem nobis pronuntiant; aiunt porro Angliam se directa petere. Magister meas aliasque a se litteras iis tradit; mox inter utrosque disceditur.

439. Iamaicam sine noxa attigimus: hic finis mihi erat vagandi. Divendita merce atque alia merce assumpta, iterum solvimus, et minus quinquaginta diebus in Bristolii portu recondimur. Inde epistulam ad patrem scribo, et tenerrimo responso exhilaror.

440. Transactis festinanter negotiis, alias litteras ad Brasiliam compono. Quidquid de mea re ex meo testamento fecisset optimus et amicissimus meus heres, credens me mortuum, id omne confirmo. Quidquid ex re navis magistri illius, qui in naufragio periit, apud me teneo, - horologia, aurum Hispanum, aliaque, - haec et si cuius alius rei pretium exceperim, spondeo reparare. Omnes ibi amicos salvere iubeo.

441. Tum propero ad parentes portans mecum documenta illa fidelium ministrorum, regiam tegetem dorsualem, praecinctorium, calceamenta, item clavam bellicam viri occisi. Nec diu est, quum Eboraci ad

carissimorum ac diu neglectorum pertingo sinum, senectuti patris matrisque tenera pietate opitulaturus.

F.W. NEWMANI REBILII CRUSONIS ANNALIUM LIBER EXPLICIT FELICITER.

GLOSSARIUM

Acus sarcinaria - packing needle / dicke Nadel zum Packen / aiguille a emballage

Amentum - a loop, thong with loop / Riemenschleife / courroie avec boucle

Antilopa, ae, f. – antelope / Antilope / Antilope

Argilla, ae, f. (argillos) – white clay / weißer Ton, Töpfererde / argile, terre glaise

Argilla vitrearia - glazier's putty / Kitt / mastic; vide vitrearius

Artillator - gunner of a ship / Kannonier / artilleur

Aurea mala (arancia) – orange / Orange / orange

Avicula bombitans – humming bird / Kolibri / oiseau-mouche

Batillum (vatillum, i, n.) - coal shovel / Kohlenschaufel / pelle a charbon

Bituba - bi & tuba

Blatta, ae, f. – chafer, cockroach, beetle / ein lichtscheues, an Kleidern, Büchern usw. nagendes Insekt von verschiedenen Arten, Schabe, Motte / hanneton, blatte, cafard

Capis, -idis, f. - jug, mug, tankard, bowl with one handle / Krug, Henkelschale / pot, tasse

Cautes (cotes), is, f. (Plur. cautes et cotes, ium, f.) – rock, crag, reef / der spitze Fels, das Riff / rocher, banc de rocher, recif;
 cautes celsae, Enn. fr.; cautes cavatae, Apul.: saxa et cautes timere Caes.

Cannon, onis - a cannon / eine Kannone / canon

caryotum (cariotum), i, n. – date honey / Dattelhonig / miel de datte

Cavum, i, n. – a hollow or aperture in rocks / ausgehöhlte Felsen, Felsenklüfte / ouverture dans un montagne ou un rocher

cepa (caepa), ae, f. – onion / die Zwiebel / oignion

Cercopithecos/us, i, m. – monkey / der geschwänzte Affe, die Meerkatze / singe

Cinchona, ae, f. - Peruvian bark / Chinarinde / quinquina

Cochlear, -are, n. - a spoon / der Löffel / cuiller

Compages, is, f – structure /Gefüge, Struktur, Bau / structure, construction: Quae (navis vetus) per se ipsa omnibus compagibus aquam acciperet, Liv. 35, 26, 8:

Confibula, ae, f. - a clamp / Holzklammer / serre-joints

Crista, ae, f. – crest / (Gebirgs)Kamm / crete; cristae sunt montium altiores, Cypr. de spect. 9.

Culter plicatilis - a clasp-knife / Taschenmesser / couteau de poche

Cupa natans - a buoy / Boje / bouee

Cymba (cumba), ae, f. - a skiff, dinghi, small row boat / kleines Ruderboot / youyou

Depango, pactum, ere – to drive a pile / in die Erde einschlagen / enfoncer un pieu; vide sublica

Dactylus, Datta - a date (fruit) / Dattel / datte

Diaeta, ae, f. - cabin of ship / Kajüte / cabine

Dioscorea, ae, f. - a yam / / igname

elixo, avi, atum, are – to boil / absieden / bouillir

Forceps, cipis – pincers, tongs / Zange / pince, pincettes

frutex, ticis, m – bush, shrub, plur. bushes, shrubbery / die aus der Erde hervorsprossende Staude, der Strauch, Busch, Plur. = das Strauchwerk, das Gesträuch, Gebüsch / buisson, bosquet

Furcilla, ae, f. - small fork / Gabel / fourchette

gossypinus, i, f. *vel* **-um, i, n.** – cotton plant / die Baumwollenstaude / cotonnier

Glareosus, a, um (glarea) – full of gravel / voller Kies, kiesig / plein de gravier

Grallator, oris, m. - wading birds / der Stelzengänger (Vogel) / echassier

Grossularius - gooseberry / Stachelbeere / groseille a maquereau

grumus (grummus), i, m. - mound, small hill / der Erdhaufen, Hügel / butte, petite colline;
grumus excellens natura, Auct. b. Hisp.: grumi e terra, tumuli grumorum, Vitr.

Hasta cunicularia - miner's pike / Bergwerks Hacke / pique de mineur

Horologium, i, n. - clock or watch / Uhr / montre

Ignipulta, ae, f. - a gun / Feuerwaffe / arme a feu

Incrudesco, dui, ere – to become stronger and stronger / stetig an Kraft zunehmen / devenir de plus en plus fort

Infula, ae, f. – turban / Turban / turban

Res Iaculatoria - gunnery / Artillerie

iuncus, i, m. – rush, reed / die Binse, ein binsenartiger Zweig / jonc, fetu;
Verg.: iunci palustres, Ov.: insulae herbidae arundine et iunco, Plin. ep.: fiscella levi detexta est vimine iunci, Tibull.: fiscellas iunco texere, Hieron. vit. Hilar. 5.

lodix, icis, f. – blanket / eine gewebte Decke, Bettdecke / couverture

Lorica, ae, f. - parapet or bulwark / Brustwehr / parapet

Macacus, i, m. – monkey / Affe / singe

Magis, idis, f. - rolling pin / Backgerät, der Backtrog / rouleau

mucesco, ere – to become mouldy / kahmig werden, schimmelig werden / se moisir

paxillus, i, m. – small post or pile, peg / ein kleiner Pfahl, ein Pflock / petit pieu ou poteau, cheville; *vide depango*

Pileus nauticus – seaman's felt cap / Seemanns Filzmütze / feutre marin

pessulus, i, m. (passalos) – a bolt / der Riegel / verrou;
occludere fores ambobus pessulis, Plaut.: pessulum obdere ostio/foribus, Ter.: pessulos inicere, Apul.

pix, picis, f. (pissa) – tar / das Pech, der Teer / goudron

Podium, ii, n. - outjutting ledge, balcony / Vorsprung, Balkon / rebord, balcon

Prospeculum, i, n. - small telescope / kleines Fernrohr / petit telescope

Pistola, ae, f. – pistol / Pistole / pistolet

pugillus, i, m. – as much as one can take in one hand (fist), a handful / so viel als man mit einer Faust fassen kann, eine Handvoll / poignee

Pulvis nitratus – gunpowder / Schiesspulver / poudre a canon

Riscus, i, m. - a chest / Kiste, Truhe / caisse, boite

rubus, i, m. - blackberry bush / die Brombeerstaude / murier des haies; 2. - II) blackberry / die Brombeere / mure, mure de ronce;

punicei; fraga rubosque colligere, Calp. ecl. 4, 31.

Rutabulum, i, n. - rake / Werkzeug zum Aufscharren, Rechen / rateau

runcino, are (runcina) – to plane wood / hobeln, abhobeln / raboter, aplanir

Sago, onis - sago / Sago / sagou

Sapo, onis - soap / Seifc / savon

Saccharum, i, n. – sugar / Zucker / sucre

Scapha, ae, f. - ship's boat, life boat / Boot, Kahn / bateau, canot de sauvetage

Scopulus, i, m. – peak, rock, cliff / Bergspitze, Felsen, Klippe / cime, falaise

Scrinium, ii, n. - dispatch box, desk / die zylinderförmige Kapsel, Papiere Bücher, aufzubewahren, Schreibtisch / portefeuille de voyage, bureau

Sebum, i, n. – Talg / tallow / suif

siliqua, ae, f. – pod, husk / die Schote der Hülsenfrüchte / cosse, gousse

sinum, i, n. & sinus, i, m. – a bowl, earthenware vessel / ein weitbauchiges, tönernes Gefäß für Wein, Milch usw., / bol, vase

Squatina, ae, f. – a kind of shark / eine Art Hai / requin

stellio (stelio), onis, m. (stella) – small lizard with shiny star-like shapes on its back / die Sterneidechse, eine

Eidechsenart mit schimmernden Flecken auf dem Rücken, die wie Sterne aussehen / un petit lezard avec des etoiles sur le dos

stuppa (stupa), ae, f. , flax, hemp / Werg, Hede, auch grober Flachs od. Hanf / lin, chanvre

Sublica, ae, f. (sublicus: sub & liquor, sub aqua) - pile, stake, support / der eingerammte Pfahl, der Brückenpfahl / pieu, poteau

subula, ae, f. – awl, bodkin / ein spitzes Werkzeug, die Pfrieme, Ahle/ poincon, passe-lacet

succidia, ae, f. – slice (of fat/bacon) / die Speckseite / tranche (de lard)

sucula, ae, f. – piglet / das Schweinchen / petit cochon; II) windlass, pulling machine / winde, eine Ziehmaschine, die Haspel, Kreuzhaspel / treuil, vindas, guindeau, cabestan

sudarium, ii, n. – handkerchief / das Schweißtuch, Taschentuch / mouchoir, foulard;
Saetaba sudaria, Catull.: sudario candido frontem tergere, Quint.: sudario frontem siccare, Quint.: sudario manus tergere, Petron.: ante faciem obtendere sudarium, Suet.: sudario os et fauces suas coartare, Val. Max.: iam mihi nigrescunt tonsa sudaria barba, Mart.: facies illius sudario erat ligata, Vulg.

Suffercio - to load a gun / eine Feuerwaffe laden / charger une arme a feu

tibialis, e – stockings / Strümpfe / bas

tolleno, onis, m. - crane (for lifting) der Krahn / grue (machine)

Trahula, ae, f. – small sledge / kleiner Schitten / petit traineau

Transenna, ae, f. – net / Netz / filet, rets

Trochlea, ae, f. - a pulley / Flaschenzug / poulie

Tunica, ae, f. - a shirt / Hemd / chemise

Vespertilio, onis, m. - a bat (animal) / Fledermaus / chauve-souris

CLXXII

vitrearius, ii, m. (vitreus) – glazier, glass-blower / der Glasmacher, Glasbläser / vitrier, souffleur, verrier
Zea, ae, f. – maize / Mais / Mais, ble de Turquie

Made in the USA
Middletown, DE
05 February 2016